JN035112

総合判例研究叢書

刑事訴訟法 (11)

弁護人の地位……………………松 尾 浩 也

有 斐 閣

序

フランスにおいて、自由法学の名とともに判例の研究が異常な発達を遂げているのは、その民法典が百五十余年の齢を重ねたからだといわれている。それに比較すると、わが国の諸法典は、まだ若い。最も古いものでも、六、七十年の年月を経たに過ぎない。しかし、わが国の諸法典は、いずれも、近代的法制を全く知らなかつたところに輸入されたものである。そのことを思えば、この六十年の間に極めて重要な判例の変遷があつたであろうことは、容易に想像がつく。事実、わが国の諸法典は、それに関連する判例の研究でこれを補充しなければ、その正確な意味を理解し得ないようになつている。

判例が法源であるかどうかの理論については、今日なお議論の余地があろう。しかし、実際問題として、多くの条項が判例によつてその具体的な意義を明らかにされているばかりでなく、判例によつて特殊の制度が創造されている例も、決して少なくはない。判例研究の重要なことについては、何人も異議のないことであろう。

判例の創造した特殊の制度の内容を明かにするためにはもちろんのこと、判例によつて明かにされた条項の意義を探るためにも、判例の総合的な研究が必要である。同一の事項についてのすべての判決を探り、取り扱われた事実の微妙な差異に注意しながら、総合的・発展的に研究するのでなければ、判例の研究は、決して終局の目的を達することはできない。そしてそれには、時間をかけた克明な努力を必要とする。

幸なことには、わが国でも、十数年来、そうした研究の必要が感じられ、優れた成果も少なくないようになつた。いまや、この成果を集め、足らざるを補ない、欠けたるを充たし、全分野にわたる研究を完成すべき時期に際会している。

かようにして、われわれは、全国の学者を動員し、すでに優れた研究のできているものについては、その補訂を乞い、まだ研究の尽されていないものについては、新たに適任者にお願いして、ここに「総合判例研究叢書」を編むことにした。第一回に発表したものは、各法域に亘る重要な問題のうち、研究成果の比較的早くでき上ると予想されるものである。これに洩れた事項でさらに重要なもののあることは、われわれもよく知つている。やがて、第二回、第三回と編集を継続して、完全な総合判例法の完成を期するつもりである。ここに、編集に当つての所信を述べ、協力される諸学者に深甚の謝意を表するとともに、同学の士の援助を願う次第である。

昭和三十一年五月

編集代表
小野清一郎　宮沢俊義
末川博　我妻栄
中川善之助

凡　例

一　判例の重要なものについては、判旨、事実、上告論旨等を引用し、各件毎に一連番号を附した。

二　判例年月日、巻数、頁数等を示すには、おおむね左の略号を用いた。

大判大五・一一・八民録二二・二〇七七　（大審院判決録）

（大正五年十一月八日、大審院判決、大審院民事判決録二十二輯二〇七七頁）

大判大一四・四・二三刑集四・二六二　（大審院判例集）

最判昭二二・一二・一五刑集一・一・八〇　（最高裁判所判例集）

（昭和二十二年十二月十五日、最高裁判所判決、最高裁判所刑事判例集一巻一号八〇頁）

大判昭二・一二・六新聞二七九一・一五　（法律新聞）

大判昭三・九・二〇評論一八民法五七五　（法律評論）

大判昭四・五・二三裁判例三刑法五五　（大審院裁判例）

福岡高判昭二六・一二・一四刑集四・一四・二一一四　（高等裁判所判例集）

大阪高判昭二八・七・四下級民集四・七・九七一　（下級裁判所民事裁判例集）

最判昭二八・二・二〇行政例集四・二・二三一　（行政事件裁判例集）

名古屋高判昭二五・五・八特一〇・七〇　（高等裁判所刑事判決特報）

東京高判昭三〇・一〇・二四東京高時報六・二民二四九　（東京高等裁判所判決時報）

札幌高決昭二九・七・二三高裁特報一・二・七一　（高等裁判所刑事裁判特報）
前橋地決昭三〇・六・三〇労民集六・四・三八九　（労働関係民事裁判例集）

その他に、例えば次のような略語を用いた。

裁判所時報＝裁時　家庭裁判所月報＝家裁月報
判例時報＝判時　判例タイムズ＝判タ

目次

松尾浩也

弁護人の地位

弁護人の地位

松尾浩也

はしがき

新憲法ないし新刑事訴訟法のもとにおいて、とみに重きを加えた弁護人の地位を、判例の集積を通してえがきだすのが、本書の目的である。旧法時代にも、弁護人に関する判例には重要なものがあるとされたが、概言的にいえば、それらは、訴訟行為理論の一環として関心の対象となつていた。最高裁判所発足後の判例は、「弁護人の援助を受ける権利」の具象化を指向するところに、その重点があり、注目すべき判例の数も少なくない。もつとも、何が弁護人に期待され、命ぜられているかといういちばん実質的な問題については、引照すべき判例はむしろ稀である。第一章第三節で、判例以外の素材を多く使用したのは、この理由に基づく。

叙述に際しては、個個の判例の分析よりも、判例法の全体的な生成、変貌、推移の把握に努めたが、当初の意図の幾分を達成しえたのか、みずから疑問としつつ筆を擱くこととなつた。ささやかな書物ながら、執筆中、師父、先覚の学恩を想うたことは一再でない。すべては、その教えを模して、形を与えたにすぎないのである。

なお、今一つの感想をつけ加えると、弁護士法ないし弁護士倫理の分野では、必ずしも文献に恵まれなかつた。寓目しえたかぎりで、ドイツにもフランスにも、またアメリカにも浩瀚な著述がある。これらと比肩しあるいはこれらを凌駕する労作の出現を望んでおきたい。

文献や条文の引用に関する略語の使用は、ほぼ、この叢書の慣例に従つた。また、いわゆる旧法事件の裁判、および最高裁判所大法廷の裁判を示すために、それぞれ、(旧)、および(大法廷)を用いた。その他の略語・略号については、巻頭の凡例を参照されたい。

一　弁護人の地位

一　序説

明治維新から今日まで九十余年を閲する間に、刑事訴訟における弁護人の地位は飛躍的な向上発展を遂げた。それは、わが国司法制度の近代化の過程を示す最良の道標であった。ここで刑事弁護制度の沿革を説くことはできないが（最近の文献として、日本弁護士連合会編・日本弁護士沿革史（昭三四）、森長英三郎「在野法曹八五年小史」法律時報三二巻五号）、弁護人無用論すら唱えられた明治初年の実状と、弁護人依頼権さらには国選請求権が憲法上の権利とされている現在の姿とを対比すれば、その進歩向上のあとには驚くべきものが感じられる。

のちにやや詳しく述べるように、わが国の刑事手続が、治罪法（明治一三年七月一七日公布、同一五年一月一日施行）から（旧旧）刑事訴訟法（明治二三年一〇月七日公布、同年一一月一日施行）を経て（旧）刑事訴訟法（大正一一年五月五日公布、同一三年一月一日施行）へ、さらに、日本国憲法の施行に伴う刑事訴訟の応急措置に関する法律（昭和二二年四月一九日公布、同年五月三日施行）を経て刑事訴訟法（昭和二三年七月一〇日公布、同二四年一月一日施行）へと推移してゆくにつれて、弁護人の選任および権限に関する法規は、順次拡充強化された。それは、国家法の体系の中で、刑事被告人の人権に対する顧慮が次第に比重を増したことを示している。とくに、日本国憲法の施行（昭和二二年五月三日）は、ここでも画期的な意味をもっていた。刑事手続における弁護人の役割が、被告人の弁護を通じて裁判所の真実発見に寄与するという、その限りでは消極的補充的なものから、刑事訴訟として構築された真実発見のメカニズムの中で被告人・被疑者の正当な権利を擁護する積極的主動的なものへ前進したのである。この変化を反映して、大審院時代の判例のいくつかは、最高裁判所の手で変更された（【1】【2】【80】に対する総合的な批評として、井上「弁護人の権利」判例学説刑事訴訟法（昭三三）一頁以下）。次の【1】は、上訴の申立について、【2】は、略式命令に対する正式裁判の請求について、いずれも、被告人の依頼を受けた「資格を有する弁護人」の権限を認め、あわせて、従来の判例からの袂別を宣言している。

【1】「憲法第三四条第三七条等によれば、被告人は、自己の権利を擁護するため、弁護人に依頼する権利を憲法上確認保障されたのであるから、刑訴応急措置法第二条の規定により、刑事訴訟法上上訴をするためにも、資格を有する弁護人に依頼することができるものと解釈しなければならない。そして、被告人は特に上訴をする依頼を為す旨明示せざるも、自ら上訴を為さずして上訴審における弁護を弁護士たる弁護人に依頼したときは、上訴をすることをも依頼したものと見るを相当とするから、かかる場合、その弁護人は被告人を代理して被告人のため上訴をすることができるものといわねばならぬ。その際、被告人の代理たる旨を明示することは必ずしも必要とするものではなく、要は、弁護届、上訴状等一件書類によりその趣旨を看取し得るを以て足るものといわねばならぬ。されば被告人を代理して上訴をすることを許さない趣旨の従前の大審院判例は、これを変更する要ありと認める」（最判昭二四・一・一二刑集三・一・二〇（旧）、評釈、小野慶二・刑評一一巻三事件）。

【2】「正式裁判の請求を為し得る者は、略式命令を受けた者自身に限り、これを弁護人に委任することを得ないと解すること従来大審院の判例とするところであつたのであるが、刑訴応急措置法第二条に明示する如く、旧刑事訴訟法は、日本国憲法制定の趣旨に適合するように解釈すべきことは当然であるから、被告人は、旧刑事訴訟法上略式命令に対する正式裁判の請求をするについても、資格を有する弁護人に依頼することができるものと解釈しなければならない。そして被告人は特に正式裁判の請求をすることを依頼する旨明示しなくても、略式命令を受けた被告人が、自らの被告事件について、弁護士たる弁護人に弁護を依頼したときは、正式裁判の請求をすることをも依頼したものと見るのを相当とするから、かかる場合、その弁護人は被告人を代理して被告人のため正式裁判の請求をすることができるものといわなければならない」（最決昭二四・九・一九刑集三・一〇・一五九八（旧）、評釈、小野・刑評一一巻七四事件）。

【1】によつて変更された判例は、たとえば【3】、【2】によつて変更された判例は、たとえば【4】である。そのいずれについても、旧法当時小野博士の批判があり、判旨不当と主張されたが、大審院は

この批判に服せず一貫してこれらの判例を維持してきた（そのうち、大判昭一五・一一・一八刑集一九・七五六(旧)には、団藤教授の判旨反対の評釈がある。刑評三巻八四事件）。今や、最高裁判所は、【1】、【2】において、旧刑事訴訟法を「日本国憲法……の制定の趣旨に適合するようにこれを解釈し」（応措二）て、弁護人の権限を広く認める態度に出たのである。

【3】「刑事訴訟法第三百七十九条ハ、原審ニ於ケル代理人又ハ弁護人ハ被告人ノ為上訴ヲ為スコトヲ得ト規定スルガ故ニ、被告人ノ為ニ上訴ヲ為シ得ル弁護人ハ、訴訟ガ原審ニ係属セル時ニ於テ弁護人タリシ者ニ限ラルルモノト解スベキモノトス。然ラバ、既ニ訴訟ガ裁判ノ宣告ニ因リ其ノ審級ヲ脱離シタル後ニ於テ弁護人トシテ弁護届ヲ提出シタル者ノ如キハ、原審ニ於ケル弁護人ト謂フニ由ナキヲ以テ、上訴ヲ為スヲ得ザルヤ勿論ナリ」（大判大一四・九・二九刑集四・五五一(旧)、評釈、小野・判例研究九二事件）。

【4】「略式命令ニ対スル正式裁判ノ請求ハ、弁護人ニ於テ独立シテ之ヲ為スコトヲ得ベキ規定存セザルヲ以テ、原判決ガ、大阪区裁判所ノ被告人等ニ発シタル略式命令ニ対シ、弁護人Yノ為シタル正式裁判ノ請求ヲ不適法トシテ棄却シタルハ相当ニシテ論旨ハ理由ナシ」（大判大一四・四・四刑集四・二四四(旧)、評釈、小野・判例研究一〇七事件）。

【1】、【2】について注意しなければならないのは、最高裁判所は刑事訴訟行為に関する代理の理論一般を検討し承認したわけではないということである。訴訟行為の代理は、法規に明文があるばあいのほかは許されないとするのが、大審院の確定的な判例で、当時の通説もこれを支持していた（判例学説の状況について、団藤・刑評三巻八四事件の評釈参照）。その後、学説は著しい転回を示し、最近では、明文の有無にかかわらず、一定範囲の訴訟行為については代理を認めるという見解がむしろ支配的である（団藤教授の影響によるところが大きい。最近の学説的状況については、高田・刑訴改訂版一一六頁参照）。これに対して、最高裁判所の判例【1】および【2】は、いずれも「代理」の観念を使用してはいるが、要するに、上訴を申し立てようとする被告人、ないし正式裁判を請求しようとする被告人に、その目的を達成するため「資格を有する弁護人を依頼する」権利（憲三七Ⅲ）を認めたにとどまっており、学説の動きとは必ずしも相応じていないのである。むろん、【1】、【2】が、大審院判例の代理理論を

何ら修正しなかつたと考えるのは正しくない。判例上も、代理が広く認められる傾向を生じてきていることは、最決昭二四・四・六（刑集三・四・四六九）が、「原決定は、刑事訴訟においては特に代理を許す旨の規定がない限り代理ということは認むべきでないから、弁護士を代理人とし代理人名義で為された本件の請求は不適式であるとして抗告を棄却したのであるが、その行為が代理を許してならないものでない以上は、刑事訴訟においても、正規の弁護士を代理人とし、代理人名義で訴訟行為をすることができるものであることは当裁判所の判例とするところである」として、【1】を引用しているのを見れば明白に肯定される。この事案では、弁護士を代理人とする付審判の請求の適否が争われたのであつて、「弁護人を依頼する権利」の問題ではない。したがつて、「明文なければ代理なし」という命題は、この判例によつて疑問の余地なく打破されたといえよう。しかし、ここでも、適法とされているのは「正規の弁護士」による代理であることに留意しなければならない。これまでに掲げた昭和二四年の三つの判例を総括して、平野教授は、いずれも「新たな審判を開始する申立」について、「弁護士という、本来訴訟行為の代理を職業とする地位を持つ者」に限り代理を認めたものだとされた（平野・刑訴（法律学全集）三四頁）。別なことばで表現すれば、最高裁判所は、「基本的人権を擁護し、社会正義を実現する」（弁一I）弁護士の使命の重さに思いを致し、その限度で従来の判例を変更したのだということができよう。【1】に付せられた真野裁判官の補足意見、および【2】に付せられた塚崎、真野、小谷、穂積各裁判官の補足意見が、「新憲法下における弁護士の地位職責」について情熱的な議論を展開しているのも、判例の底流にあるこの思想を物語るものにほかならない。次の高裁判例【5】も、同じ系列に属するものとして、ここに掲げることが許されるであろう。

【5】「弁護士法第一条、第二条及び第三一条によれば、弁護士は基本的人権を擁護し、社会正義を実現することを使命とし、誠実にその職務を行い、社会秩序の維持及び法律制度の改善に努力し、常に、深い教養の保持と高い品性の陶やに努め、法令及び法律実務に精通しなければならないのであり、弁護士会は、弁護士をして右使命を達成し、職務を完遂させることを主たる目的として設立された法人であることが明らかである。して見れば、本件のように人権に関する事件につき弁護士会として、告発をし、又、事件を裁判所の審判に付することを請求する権能があると解するのが相当である」（東京高判昭三三・一〇・三刑集一一・八・五〇六）。

二　弁護人の権利

前節では、日本国憲法のもとにおける弁護人（とくに弁護士たる弁護人）の使命について述べた。この使命を果すために、弁護人は、刑事手続に参加し多彩な訴訟活動を行なっている。本節および次節は、この弁護活動の性質の究明にあて、弁護人の権利および弁護人の義務の両面より論ずる。

弁護人とは何か。それは「被告人の正当な利益を保護することによって刑事司法に協力する任務をもつものであって、この意味で公的ないし公益的地位を有するものである」（団藤・綱要六訂版一〇〇頁）。この定義的説明の中に、被告人（被疑者を含む。以下同じ）の保護者として国家権力に対抗すると同時に、刑事司法の協力者としてこれと共働するという、弁護権の複雑な性格が正しく現われている。しかし、刑事訴訟の理念的推移は、弁護活動の内容やその限界にも影を映さずにはおかぬ。新しい刑事訴訟法、新しい弁護士法のもとで弁護人の権利は量的質的に増大深化し、また弁護権の限界には鋭い反省が加えられた。いまや弁護人の本質は、「被告人の正当な利益の擁護」に力点をおいて理解されなければならない（前出三頁参照）。弁護人は、いわば高次の「公益的地位」を有しているのである。

刑事訴訟法は、弁護活動の内容をなすものとして、幾多の訴訟法的権利を、あるいは明文をもつて、あるいは黙示的に弁護人に賦与している。これらの権利を体系的に分類するばあいに、「弁護人がその権利の行使ないし実現にあたり、被告人の意思にどの程度従属しなければならないか」という観点は、適切な判断の基準を与える。その理由は、次のとおりである。弁護人は、訴訟活動を行なつてゆくのに、被告人よりもすぐれた能力をもつている（被告人は、法律的知識に乏しく、また犯罪の嫌疑による心理的劣弱感を有するのが通常である）。この点からすれば、弁護人の行動を被告人の意思に従属させるのは適当でない。しかしまた、訴訟によつて危険にさらされているのはまさに被告人自身の生命・自由・財産であり、この意味においては、つねに被告人本人の判断を優先させなければならない。弁護人の権利の「独立性」ないし「従属性」は、以上二つの相反する要求の重みを比較衡量してさまざまに決定される。それゆえ、権利分類の基準もここに求めることが有益なのである。次にその実際について考えてみよう。

第一に、高度の「独立性」を具えた権利の一群がある。たとえば、証人尋問に立ち会う権利（刑訴一五七Ⅰ）はこれに属し、弁護人は、被告人の意思にかかわりなく、立会権を行使することができる。この種の権利については、通常、「被告人の明示の意思に反してもよい」と説明されているが、実は、権利の性質上、合理的に考えて被告人の意思に反することはほとんどあり得ないばあいである。法規の形式においては、通常、「弁護人は、……できる」「弁護人の請求により……」などの形がとられ、権利の「独立性」が示されている（平野・刑訴（法律学全集）八〇頁）。以下その主なものを列挙しておこう（刑訴は、被告人にも同じ内容の権利を与えるばあいに、しばしば「被告人又は弁護人」という語を用いているが、これは権利を択一的に認める意味ではない）。被告人との間のいわば対内的な権利として、接見交通権（刑訴三九）。裁判所等に対するいわば対外的権利のうち、全般的な訴訟準備のためのものとして、書類・証拠物の閲覧謄写権(刑訴四〇)。身柄保全のための強制処分に関するものとして、勾留の通知を受ける権利(刑訴七九)、勾留理由開示請求権(刑訴八二Ⅱ)、勾留理由開示公判における意見陳述権(刑訴八四Ⅱ)、勾留取消請求権(刑訴八七)、保釈請求権(刑訴八八)。証拠の収集保全のための強制処分について、差押状捜索状の執行立会権(刑訴一一三ⅠⅡ)、検証(捜査機関による検証を除く)立会権(刑訴一四二)、証人尋問に関する諸権利(刑訴一五七・一五八・一五九、なお、二二八Ⅱ)、鑑定立会権(刑訴一七〇)。証拠保全請求権(刑訴一七九)、証拠保全結果の閲覧謄写権(刑訴一八〇Ⅰ)。公判準備について、公判期日の通知を受ける権利(刑訴二七三Ⅲ)、公判期日変更に関する諸権利(刑訴二七六・二七七)。公判期日の手続について、冒頭手続において陳述する権利(刑訴二九一)、冒頭陳述権(刑訴規一九八)、公判手続停止に関する諸権利(刑訴三一二Ⅳ・三一四ⅠⅡ)、弁論の分離併合再開請求権(刑訴三一三)、最終弁論権(刑訴二九三Ⅱ、刑訴規二一一)、公判調書と関連する諸権利(刑訴五〇・五一)。とくに証拠調について、証拠調の範囲等に関する意見陳述権(刑訴二九七)、証拠調請求権(刑訴二九八Ⅰ)、職権証拠調決定に対し意見を述べる権利(刑訴二九九Ⅱ)、証人等の尋問に関する権利(刑訴三〇四ⅡⅢ)、証明力を争う権利(刑訴三〇八)、証拠調および裁判長の処分に対する異議申立権(刑訴三〇九)、被告人に供述を求める権利(刑訴三一一Ⅲ)、簡易公判手続における証拠能力の異議権(刑訴三二〇Ⅱ)、被告人出頭不要の公判期日において伝聞証拠に同意する権利(刑訴三二六Ⅱ)、書面に対する合意権(刑訴三二七)。上訴について、保証書作成権(刑訴三七七)、弁論をする権利(刑訴三八九・三九三Ⅳ・四一四)、事実調請求権(刑訴三九三Ⅰ)、判決訂正申立権(刑訴四一五)。これらの権利のうちには、旧刑訴当時にも、明文上ないし実際上認められていたものが多いが、いずれも当事者主義の理念によって新たな魂を吹き込まれ、現行法の新設した諸権利と相まって、日本国憲法のもとにおける刑事訴訟の力強い一翼を形成しているのである。その詳細は後述するところに譲らなければならない（後出一二五頁以下参照）。

第二に、やや「独立性」の弱い段階として、被告人が反対の意思を明示したときは、行使することのできない権利がある。忌避申立権（刑訴二一Ⅱ）がこれに属し、その旨の明文がおかれている（刑訴同項但書）。立法の理由については、旧法当時、「被告人ガ当該判事ヲ信頼シ其ノ裁判ヲ受ケムト欲スルニ拘ハラズ、弁護人ニ於テ強テ之ヲ忌避スルガ如キハ穏当ヲ欠クヲ以テ、被告人ノ明示シタル意思ニ反シテ之ヲ為スコトヲ得ザルモノト為セリ」と説明された（林・刑訴法要義総則六六頁）。

以上に述べた第一および第二グループの権利は、いうまでもなく常に「被告人の利益のために」行使さるべきものであるが、この点を確認した上で、一括して弁護人の「固有権」と呼んでもよい。この呼称は、弁護人の権利が被告人のもつ同一内容の権利の消滅によつても影響を受けないことを表現し得る点ですぐれている。しかし、通説は、まさにそのことの故に右の提言を非とし、性質上代理の許されるものであるかぎり、本人の権利の消滅は弁護人の権利の消滅を意味すると説く（団藤・綱要一〇九頁、同・条解刑訴九一頁）。この見解は、手続の確実性の要求に合致する点に長所をもち、判例にも浸透した。次の【6】は、弁護人の忌避申立権についてこのいわゆる「独立代理権」説を徹底させている。

【6】「弁護人の行う忌避申立権は、被告人の明示した意思に反しない限度においては独立して行使することができる代理権の一種である（刑事訴訟法第二一条、第四一条参照）と解すべきであるから、被告人の事件についての陳述によりその忌避申立権が消滅すると同時に、弁護人の忌避申立権も又当然に消滅し、又弁護人（主任弁護人たると否とを問わない）の事件についての陳述によりその忌避申立権が消滅すると同時に、本人たる被告人の忌避申立権も又消滅すると解するを相当とする」（大阪高決昭二八・一一・一六刑集六・一二・一七〇五）。

しかし、この判旨は、手続の確実性を一方的に強調し、被告人の保護者としての弁護人の任務を軽視した嫌いがある（平野・刑訴（法律学全集）五〇頁、八一頁）。ふたたび立法の理由を引き合いに出せば、旧刑訴二五条二項（現行法二一条二項にあたる）については、「弁護人固有ノ権利トシテ忌避権ヲ認ムルトキハ、被告人ガ事件ニ付キ請求又ハ陳述ヲ為シタル後トイエドモ、弁護人自身ガ請求又ハ陳述ヲ為サザル限リハ忌避権ヲ失フコトナキモノトス。是レ特ニ本項ヲ設ケタル所以ナリ」とされていた（林・刑訴法要義総則六六頁）。代理に親しむ行為を代理行為として取り扱うかどうかは、むろん政策的な利益較量の問題であり、旧刑訴立案者の示した右のような判断は、現在において、むしろ、より適切なものとみてよいであろう。

第三に、被告人に従属する権利ではあるが、なお「独立」的な色彩をもつものとして、（原審における）弁護人の上訴申立権（刑訴三五五・三五六。なお同三六二、および四六七）がある。この権利は、通常、忌避申立権と同質視されているが、それは法規の形式のみに着眼しての分類で、妥当でないと思われる。弁護人の上訴権は、いわば「代理権」であって、「固有権」ではない。判例は、早くからこの趣旨を判示していた。

【7】「弁護人ハ独立ノ上訴権ヲ有スルモノニ非ズシテ、被告人ノ上訴権ヲ行使スルニ過ギザルガ故ニ、被告人ニ於テ上訴ヲ取下ゲ上訴権ヲ喪ヒタルトキハ、最早弁護人ヨリ上訴ノ申立ヲ為スコトヲ得ザルモノトス」（大判大一三・四・二八刑集三・三七八（旧）、評釈、小野・判例研究九三事件）。

ここでは、「代理権」の語は用いられていないが、判例が「弁護人の上訴は『被告人に代り』之を行ふもの」（小野・前掲評釈）と解していることは明らかである（旧旧刑訴二四三は、「弁護人ハ被告人ニ代リ上訴ヲ為スコトヲ得。但被告人ノ明言シタル意思ニ反スルコトヲ得ス」と規定していた）。弁護人の上訴権を「固有権」とみるのは何故当を得ていないか。最高裁判所は、新憲法のもとでは弁護人は「固有」の上訴権をもつと主張する抗告論旨に答えて、上訴申立につき被告人の意思を尊重すべき理由を次のように説明した。

【8】　「憲法第三四条第三七条三項は、……被告人に直ちに弁護人を附する権利を保障し、従つて弁護人は之等の者の人権保護の万全を期する為め法令上種々の権義を有する所ではあるが、されぱと云つて、そのことから当然に刑訴法上弁護人に……被告人の明示した意思に反してまでも無制限に上訴権を認めなければならぬとの論結には到達し得ない……。蓋し、上訴権行使の結果は、被告人に経済的並びに精神的の負担を伴わしめ、又時には自由の拘束をも継続せしむるもの〔なるが故〕である」（最決昭二三・一一・一五（大法廷）刑集二・一二・一五二八。（旧）評釈、平野・判例研究二巻七号、刑評一〇巻三三事件）。

この判例が説くように、上訴権の行使という問題については、被告人本人の優位を認めなければなるまい（前出八頁参照。なお、【8】事件の抗告論旨は、被告人の「明示の意思に反しないかぎり」、被告人自身の上訴権消滅後も弁護人の上訴を認めよと主張したもので、判旨はこれとかみ合つていない。平野・前掲評釈参照）。しかし、それだけの理由ならば、とくに「代理権」性を強調する必要はなく、したがつて、第三の範疇をたてる必要もなかつたであろう。弁護人の上訴権を「代理権」だとしなければならない理由は、このばあい法律関係の明確性の要求が強いからである（平野・刑訴（法律学全集）八一頁参照）。そして、法が、「明示の意思」に反することができないとことさらに規定しているのも、同じ理由から説明される（富田・刑訴法要論上四四二頁は、代理権の一種たる上訴権についてのみこの趣旨の明文をおいたのは「寧ロ無意義ナル事ト云フ可シ」と論じている）。「黙示の意思」を持ち出す余地はないのである。その反射的効果として、弁護人の権利が「独立」的な色彩をおびることになる。しかし、そのためにこの権利を「固有権」ないし「独立代理権」だと説くことは、冠履顚倒の感を免れないであろう。もつとも、それでは法は何故弁護人の上訴権について、「特別の定」をおいたのかという疑問が残る。その答えは、上訴は原審級の訴訟行為に属しないから、弁護人による上訴申立を許すためには特別の規定を要するということである。そして、上訴申立について弁護人の活動を認め、被告人の利益を保護させる必要ははなはだ大きい。

これが、旧旧刑訴来、弁護人の上訴権に関する規定が設けられてきた理由だと思われる（後出七三頁参照）。

第四のグループを構成するのは、被告人から少なくとも黙示的に承諾ないし追認を得なければならないばあいである。被告人の行使しうる諸権利は、他のグループに属しないかぎり、すべてこのグループにおいて弁護人の権利を作り出す（行為の性質上、他人による代行を許さないものを除くのは当然である。たとえば自白など。平野・刑訴（法律学全集）八〇頁参照）。その主なものは次のとおりである。審判の併合請求（刑訴八）、審判すべき裁判所の変更請求（刑訴一〇・一一）、管轄移転の請求（刑訴一七Ⅱ）、移送の請求（刑訴一九）、不起訴処分の告知請求（刑訴二五九）、起訴状謄本の受領（刑訴二七一）、訴因罰条変更通知の受領（刑訴三一二Ⅲ）、伝聞証拠に対する同意（刑訴三二六）、土地管轄違の申立（刑訴三三一）、控訴趣意書・上告趣意書の提出（刑訴三七六・四一四）。以上については、法規の形式において、「被告人の請求により……」、「……を被告人に送達しなければならない」などの形がとられ、被告人にその権利のあることが明示されている。このほか、被告人は、訴訟における当事者として、法規による定型化の有無にかかわりなく、各種の訴訟行為を行ないうるが（たとえば、事物管轄違の申立、公訴棄却の申立）、これらも、その性質上代行を許すものであれば、ひとしく弁護人の権利を成立せしめるのである。

ただし、権利が成立するといっても、第四グループにおいては、第一ないし第三群のばあいと異なり、個々の法規に根拠があるわけではない。被告人の権利としては明定されているときも、前述のように、弁護人については法は沈黙している。にもかかわらず弁護人の権利が認められるのは、形式的には刑訴四一条の反面解釈によるのであるが、実質的には「被告人の正当な利益の保護者」としての弁護人の地位から流出する当然の結果にほかならない。いいかえれば、弁護人の権利が明文を超えて認められることおよびその態様の中に、弁護人の本質的な性格が反映しているのである。次の大審院判例は、この点を次のように判示している。

【9】「弁護人ハ、被告人ノ為シ得ベキ総テノ訴訟行為ヲ被告人ニ代テ為スコトヲ得ベク、此ノ弁護人ノ為シタル訴訟行為ハ、被告人ノ意思ニ反セザル限リ、被告人ノ為ニ其ノ効力ヲ生ズルモノトス。本件記録ヲ査スルニ、被告人H及Sノ各選任ニ係ル弁護人Mハ、同被告人等ノ出頭セル原審第四回公判廷ニ於テ、同被告人等ニ対スル司法警察官及検事ノ各聴取書ヲ証拠トナスコトニ付異議ナシト陳述シタルコト明ニシテ、而モ同被告人等ニ於テ此ノ点ニ関シ反対ノ意思ヲ表示シタル事跡ノ見ルベキモノナキヲ以テ、同弁護人ノ叙上意見ノ陳述ハ、同被告人等ニ対シテ其ノ効力アルモノトス」(大判昭六・七・二三刑集一〇・三九七(旧))。

この判例の示す方向は、後に述べるように、次の二点に集約される。弁護人は、被告人の訴訟行為を全面的に代行しうるということ、しかし、その代行行為は、被告人の肯定的な態度に支えられていなければならないということ、以上の二つである。この点について、現行刑訴三二六条の「同意」に関する判例を検討してみよう。【10】は、最高裁判所の判例である。

【10】「記録を精査すると、第一審公判において弁護人が所論の書面を証拠とすることにつき同意した際、被告人は在廷しながら反対の意思を表明しなかつたことは勿論、これに対し何等異議をも述べずむしろこれに同意したものたることが認められるのである。この事は、爾後該書面につき証拠調がなされた際にあつても被告人において何等異議を述べなかつたことに徴して明白なのである。されば、右書面を証拠とするにつき被告人の同意がなかつたことに立脚する所論は、その前提事実を欠くものであ〔る〕」(最決昭二六・二・二二刑集五・三・四二一、評釈、桂正昭・刑評一三巻一〇事件、岡垣学・刑法雑誌四巻二号、居林与三次・法学新報五九巻四号)。

【10】は、弁護人に同意権の代理行使を許すことを当然の前提として、弁護人の同意プラス被告人の異議なき態度をもつて三二六条の要件(「……被告人が証拠とすることに同意した」)をみたすとしたものである。もつとも、判文中には「むしろこれに同意した」の語があり、被告人自身の同意を認めたように見える。しかし、異

議を述べなかつたというだけで三二六条の同意ありとするのは、この点に関する多数の判例と調和し難い（寓目したかぎりで、黙示の「同意」を認めたすべての判例は、なんらかの積極的な意思表示にもとづいて「同意」ありとしている。「異議がない旨供述」＝高松高判昭二五・一〇・三〇特一四・二二七、「意見はないと述べた」＝最判昭二六・九・二八刑集五・一〇・二一三一、「尋ねるところはないと述べている」＝最判昭二八・五・一二刑集七・五・一〇二三等）。したがつて、判例【10】の「同意した」という語は不用意に使用されたにとどまり、これによつて被告人の黙示的な追認を表現するのが真意であつたと解すべきである。「被告人の異議なき態度」からただちに「黙示の追認」を認めてよいかには問題が残るが（桂・前掲評釈参照）、この点をしばらくおくと、最高裁判所は、【10】において、前述した二つの命題に即して問題を解決したと見てよいであろう。すなわち、㈠弁護人は、被告人に代つてすべての訴訟行為を行う権利をもつが、㈡その行使には、被告人による少なくとも黙示の承諾ないし追認が必要なのである。

命題㈠については、【10】は当然のこととして判示を省いているが（【10】の原審はこの点にも論及している）、弁護人の同意を取り扱つたほとんどすべての高裁判例は、次のように「包括的代理権」という語でこの点をいい表わしている（「一般的代理権」という用語もある。東京高判昭二七・七・一東京高時報二・一〇刑二四二）。

【11】　「弁護人は、被告人の意思に反しない限り、包括的代理権を有するものであるから、かかる書面を証拠とすることにつき弁護人が同意した以上、被告人において即時これを取り消したような形跡の認め難い本件にあつては、三二六条にいわゆる被告人の同意があつたものと解するのが相当である」（大阪高判昭二四・一一・二五特四・五六）。

【11】の判示は、その後、福岡高判昭二五・三・二四（特七・一二〇）は札幌高判昭二五・五・三一（刑集三・二・二一一）等でも踏襲されている。なお、次の【12】、【13】、任意性に争いのあつた被告人の供述調書、および手続の適法性に疑問のあつた受託鑑定書を、それぞれ「同意」を理由に証拠能力ありとするに際して、

弁護人の「包括的代理」性を根拠とした。

【12】「公判調書には、弁護人が検事の右証拠調の請求に異議がないと述べた旨の記載はあるが、被告人がこれに同意した旨の記載はない。しかし、刑事訴訟法第三二六条に謂う『被告人』の中には、その包括的代理人としての『弁護人』を包含するものと解すべきであるから、弁護人が右証拠調に異議がないと述べている以上、被告人より特に異議を申立てない限り、被告人に於ても異議がないものと解するを相当とする」(札幌高判昭二四・七・二五特一・八五)。

【13】「公判調書の記載によれば……検察官が該鑑定書の証拠調を請求したのに対し、被告人Sの弁護人及び原審相被告人等の弁護人等は、いずれもこれを証拠とすることに同意する旨の陳述をし、右被告人等は、何らこれに反する陳述をしなかつたことが明らかであるから、被告人のため包括的代理権を有すると解すべき弁護人の地位に鑑み、右弁護人等の同意の陳述は、右被告人等のため効力を生じ、右鑑定書は、証拠能力を有するものと解すべきである」(東京高判昭二五・一二・一六特一四・二二)。

弁護人の地位を説明するのに、「包括的代理権」の観念を用いることは、必ずしも不当ではない。しかし、注意しなければならないのは、弁護人のもつ「包括的」な代理権は、その行使において被告人の意思に従属することである。この点を【11】は、「弁護人は、被告人の意思に反しない限り、包括的代理権を有する」と述べている。もともと「代理権」は、存在するかしないかのいずれかであって、それ以上にその行使について本人の意思が問われる筈のものではない。この意味では、刑事訴訟における弁護人の「包括的代理権」は特殊な性格を帯びているといわざるをえない(株式会社における代表取締役の代表権が、株主総会または取締役会の決議にある程度従属することは、これと類似の例だといえようか。鈴木・会社法改訂版一三三頁註四参照)。弁護人は、三二六条の同意のばあいにかぎらず、ここで第四グループとして論ずる諸権利の行使についてはつねに、被告人の(明示または黙示の)意思に反することができないのである(一貫して通説の地位を占める見解。牧野博士がひとり異説を採られた。牧野・改訂刑訴八六頁)。

右に述べたような見解が、被告人本人の利益を尊重すべきだという考えに立脚していることは論をまたない。そして、三二六条の同意をする行為は、「同意権」の行使とはいうものの、その実質は反対尋問権の放棄にほかならないので、本人尊重の必要がとくに強く意識されるのは当然である。かつて、江家教授はこの点に触れて、「弁護人は手続の簡易化を望むあまりややもすれば安易に同意をするおそれがないとはいえない」と警告された（江家・証拠法の基礎理論一四九頁）。次の【14】は、あたかもこの警告に答えた如き判例である。

【14】　「記録によれば、第一審にお〔いて〕……被告人は公訴事実を全面的に否認していることが認められる。然るに第一審裁判所は、公訴事実を全部認めている弁護人（国選）に対してのみ、検察官申請の前記各書証の証拠調請求につき意見を求め、その請求に異議がない旨の答弁を得た上、直ちに右各書証の取り調べをしているのである。ところで本件のごとく被告人において全面的に公訴事実を否認し、弁護人のみがこれを認め、その主張を完全に異にしている場合においては、弁護人の前記答弁のみをもつて、被告人が書証を証拠とすることに同意したものとはいえないのであるから、裁判所は、弁護人とは別に被告人に対し、証拠調請求に対する意見及び書類を証拠とすることについての同意の有無を確かめなければならない」（最判昭二七・一二・一九刑集六・一一・一三二九）。

さきに、【10】の解釈として、弁護人の同意が有効となるためには、少なくとも被告人の黙示の追認を要すると述べたが（前出二五頁）、右の【14】は、これを裏面から支持する意味をもつ。すなわち、この事案のように、弁護人が同意したばあい、被告人の意思が積極消極いずれの方向にも不明のときは（反対の意思が黙示的に示されているわけではない。もしそうだとすれば、もはや「同意の有無を確かめ」る余地はないことになるから）、同意の効力は認められないのである。【11】の「被告人の意思に反しない限り」、【12】の「被告人より特に異議を申し立てない限り」、および【13】の「被告人等は何らこれに反する陳述をしなかつた」の趣旨も、【10】ないし【14】と統一的に把握して、黙示の承諾または追認を意味するものと解しなければならない。弁護人の「包括的代理」という観念は、被告人のいわば支持的態度による裏打ちを必要としているのである。
公判期日外の訴訟行為については、被告人の「黙示の意思」が鮮明でない結果として、弁護人の行為を有効とするばあいには「瑕疵の治癒」の観点が加味されることもある。次の【15】は、起訴状の送達受領についてこのことを示している。

【15】「本件起訴状及び訴因追加請求書の各謄本が被告人に送達されていないことは所論の通りである。しかし記録によれば、被告人が起訴されたのは、昭和二四年四月一六日で、訴因追加請求書が提出されたのは同月二一日である。そして、被告人は、起訴された日に、早速、弁護士Aを、自ら、弁護人に選任しており、起訴状の謄本は同月一六日、訴因追加請求書の謄本は同月二一日、即ち、いずれも、即日、それぞれ右弁護人に送達されている。しかも、……書記官が被告人に起訴状の謄本を送達せず、殊更ら、これを弁護人に送達したのは、右送達を心待ちしていた同弁護人の請求に基づくもので、書記官としては、弁護人にこれを送達すれば、必らずやそれは被告人に手交せられるものと考え、便宜、弁護人にこれを送達したものであることが窺われる。そして、第一審は第一回公判を同年五月二〇日に開いている。即ち、同公判は公訴提起の日から二カ月以内に開かれていると共に、起訴状謄本が弁護人に送達されてから同公判までには一カ月以上、訴因追加請求書が弁護人に送達されてからでも同公判までには一カ月近くの余裕があつたことになる。したがつて、弁護人としては、被告人との連絡、その他、公判における被告人の防禦権伸張の為めに、いわゆる弁論の準備をする十分の期間があつたものといわなければならない。まして、第一審公判では被告人側より何等の異議も申し出でずして終了しており、且つその間に、被告人の防禦権の行使に遺憾な点があつたとの節も認められない。かかる特別の事情が認められる以上、右瑕疵は、本件については、未だ刑訴法第四一一条を適用すべき事由とするに足らないものというべきである」(最決昭二七・七・一八刑集六・七・九一三)。

【15】ひとつを見ても、弁護人が完全な「代理」ないし「代行」の権利を有するものでないことは明らかであろう。次の【16】は、裁判書謄本の送達を受けた日が異議申立期間の起算日となるばあいについて、被告人本人による受領が基準だとしている。

【16】「所論の上告棄却決定謄本は、被告人と弁護人である本件申立人の双方に送達せられ、その日時は、被告人には昭和三二年四月九日、弁護人には同月一一日であること一件記録に徴し明白であり、かような場合における……異議申立期間は、本人に対し送達された時から進行をはじめると解すべきものである」（最決昭三二・五・二九刑集一一・五・一五七六）。

【16】にいう「かような場合」が、被告人弁護人の双方とも送達を受けたことを指すのか、またはその送達受領の順序が被告人―弁護人の順であったことを指すのか、右判文からは明らかでない。しかし、【15】と調和的に理解するためには、前者の意味にとるべきであろう。なぜなら、かりに送達受領の順序が弁護人―被告人であったとしても、弁護人に対する送達を無条件に基準とすることはできないからである（反対の意見もある。最決昭二七・一一・一八刑集六・一〇・一二一三に対する評釈、城・刑評一四巻四二事件参照）。

終りに、ふたたび三二六条の同意について、次の高裁判例を附け加えなければならない。被告人の同意は、それだけでは有効でなく、弁護人の承認を要するという前提に立つ控訴趣意に対し、これを理由なしとしたものである。

【17】「第三二六条第一項の場合は、弁護人の固有権を規定したものと観ることはできないので、被告人と弁護人とが出頭しているときには、被告人の意思が弁護人の意思に優先すること勿論であるから、同条項の場合に、弁護人は、被告人の意思に反し、同意、不同意の意見を述べることは許されないものと解するのが相当である」（福岡高判昭二五・九・二五特一三・一七五）。

控訴申立人の主張は、弁護人の保護者的機能を徹底させて、被告人の同意をチェックする「固有権」を認めよというわけであるが、文理上の根拠はなく、実際上も「弁護人に於て被告人が右同意権を行使するにつき過ちなき様に注意し指導し得る訳であり、又左様にするのが弁護人の職責でもある」（福岡高判昭二四・一〇・一〇特一・二四九）のだから、裁判所・弁護人の関係で新たな権利を認める必要はない。判旨は当然であると思われる。

最後に、第五のグループとして、被告人の明示的な授権を必要とするものが考えられる。これには、次の三種を挙げておきたい。その一は、上訴の放棄または取下である（刑訴三五九）。このばあいは、法定代理人・保佐人等に関する三六〇条の規定との権衡上、とくに「書面による被告人の同意」を要するものと解すべきであり、行為の重大性にかんがみても、書面に依る明確な授権なしには、とうてい放棄・取下を認めることはできない（刑訴三六〇の三、刑訴規二二四参照）。通説も、右の条件のもとに、弁護人による放棄・取下を認めるものと思われる（平野・刑訴（法律学全集）三〇一頁、小野等・ポケット刑訴八二〇頁参照）。判例としては、控訴を申し立てた弁護人による取下を無効とした最決昭二五・七・一三（刑集四・八・一三五六（旧））がある。

その二は、弁護人の選任である（刑訴三〇）。弁護人による弁護人の選任の可否については、文献においてもあまり論じられていない。国選弁護人のばあいは、復弁護人選任権を認める必要も乏しく、また適当でもないであろう。これに反して、私選弁護人のばあいは、選任権を認める実益があり、不当とも思われない。ただ選任者の意思を尊重するためにも、また手続の確実性の見地からも、明示的な授権（被告人その他選任者の）を要求すべきであろう。民事訴訟においても同様の取扱がなされている（民訴八一Ⅱ4、同八〇Ⅰ参照）。

その三は、弁護人選任の効力消滅後における派生的ないし清算的訴訟行為に関する。次の最高裁判例を見よう。

【18】「申立人（弁護人）E　被告人Yに対する強盗傷人被告事件について昭和二八年九月八日当裁判所がした訴訟費用の負担を命ずる裁判に対し、右申立人はその執行の免除の申立をしたが、国選弁護人たる同人において訴訟費用の負担を命ぜられた者たる被告人から特に申立についての委任をうけたものでないことが明らかに窺えるのであつて、本件申立は理由がない」

(最決昭二八・一〇・六刑集七・一〇・一八九七)。

【19】「記録を調べてみるに、……昭和三〇年一二月二〇日広島高等裁判所岡山支部は、〔検察官の〕請求を理由ありとし〔被告人〕Xに対する保釈保証金全部を没取する旨の決定をなしたのであるが、これに対し〔弁護人〕Sから異議の申立がなされ、その結果、広島高等裁判所岡山支部は、昭和三一年四月二六日右保釈保証金没取決定を取り消したものであること明らかである。そこで、Sに右異議申立権があつたかどうかをみるに、同人は被告人Xの被告事件が第一、二審に係属していた当時の弁護人であつたことは記録上明白であるが、右異議申立当時、右被告事件はすでに確定していたのであるから、Sの弁護権はもはや存在していなかつたこと勿論であり、又、同人はXから特に異議申立について委任を受けた形跡もない……から、……同人には異議申立権はなかつたものというべきである」(最決昭三一・八・二二刑集一〇・八・一二七三)。

【18】、【19】ともに申立を不適法としたものであるが、判示の反面において、被告人の「委任」が明らかであれば、申立を適法とする趣旨がうかがわれる。これらは、訴訟行為の代理に関する一般的な理論(前出六頁参照)の適用とみてもよいが、申立人がいずれもかつて「弁護人」であつた点に着眼して、弁護人たる地位からいわば余後的に認められる権利とすることも可能である(特別弁護人のばあいに実益があることになる)。なお、【19】を踏襲した最高裁判例に、最決昭三三・七・一五(刑集一二・一一・二五七八)がある。

以上論じてきたところを総括すると、弁護人の権利の性格は、各種の訴訟法的要請を顧慮しつつ、被告人の利益の正当な保護を核心として決定されるということができる。権利の行使にあたつて弁護人の「独立性」が認められるのも否定されるのも、究極において被告人の利益をよりよく護るという一点に統合された多様性にほかならない。いわゆる固有権・代理権の分類は、単純な対立としてではなく、右のような視点から把握されなければならないのである。「代理権」の帯びる特殊性についてはさきに言及したが(前出一六頁参照)、「固有権」も、本質的には「被告人、被疑者に代つてその防禦権を全うする」ために、弁護人が「本人に代つて行うもの」にすぎず(団藤・綱要一一〇頁)、ただ弁護人の能力的優越のゆえにその「独立性」が認められるにとどまる。次の判例は、この点を如実に示すものである。

【20】「証人を尋問する場合に、裁判所は被告人に対しこれらの者を尋問する機会を充分に与えなければならないこと弁護人所論の通りであつて、原審公判調書について弁護人所論の証人尋問の跡をみるに、原審裁判所は、当該証人を申請した者の尋問が終つた後に被告人に対し尋問を促し以て証人尋問の機会を与えた趣旨の記載はない。しかしながら、原審弁護人に対しては所論の証人各自につき尋問の機会を与えられ、該弁護人は自ら尋問をなし、或は尋問することなき旨答えた旨の記載がある。被告人は法律に通じない場合が多く、何時証人を如何にして尋問するか知らないのが通常であろうが、かかる被告人の不利益を保護するために弁護人制度が設けられているのであつて、即ち弁護人は被告人の包括的代理人たる地位が認められているのである。従つて、原裁判所が前記のように弁護人に証人尋問の機会を与えた以上それで充分であつて、これが即ち被告人のために尋問の機会を与えたことになるのであ〔る〕」(大阪高判昭二四・一一・二五特三・一〇一)。

証人に対する尋問は、事実行為たる訴訟行為であつて代理の観念とは相容れないものとされる結果、「独立代理権」の観念を認める通説も、これを「固有権」の範疇に数えるのであるが、【20】は、「包括的代理」の一語をむしろ無意識的に使用することによつて、弁護人の権利の「代行的性格」を鋭くとらえ、そこから被告人の権利がかえつて弁護人の権利の中に埋没してしまうことを論結している。このような考え方は、のちに述べるように反対尋問権に関する諸判例の基礎をなしており(後出一四一頁参照)、また、刑訴二八一条の二・同三〇四条の二の如き立法の根拠ともなつているのである。

上訴審の段階では、被告人に比し弁護人の行為が重要性を増すから(刑訴三八八・三九〇・四〇九・四一四。なお、同三八七参照)、右に述べたような現象も生じやすい。次の【21】、【22】はいずれもこの点を正面からとり上げてはいないが、判示の背後には弁護人による本人の権利の吸収という思想がひそんでいると思われる。

【21】「原判決が、〔事実誤認・量刑不当を訴えた〕被告人の控訴趣意書に対する判断を遺脱していることは所論のとおりであるから、訴訟法に違反していることは免れない。しかし、原判決は、弁護人の控訴趣意を判断するにあたり『記録を精査するも原審が判決に影響を及ぼす様な事実誤認をしたものと疑う様な点も認められない』と事実誤認のないことを判示し、又量刑不当に非ざることをも判示しているのであつて、結局右の違法は判決に影響なきものと認められる」（最決昭二七・七・一三刑集六・七・九一〇）。

【22】「記録〔に記載されている事実関係〕によると……、原審は、結局控訴申立人なる被告人に対しては控訴趣意書提出最終日の通知をしなかつたこととなり、刑訴規則二三六条に違反したものといわなければならない。しかし記録によると、被告人は、昭和二六年一〇月一七日、原審に対し控訴の申立をすると同時に、弁護人Tを選任しその届出をしているのであり、原審は本件控訴趣意書提出最終日の通知書を右弁護人に送達しており、同弁護人は、期間内に控訴趣意書を提出し、昭和二七年二月二二日の原審公判期日に出頭し、右控訴趣意書に基いて弁論しており、前記被告人に対する送達の違法については、何等の異議を述べずに弁論を終結しているのであるから、右違法は判決に影響を及ぼすべきものとは認められない」（最決昭二八・一二・一九刑集七・一二・二六八八）。

三　弁護人の義務

前節で取り扱つた弁護人の諸権利は、その重い責任に対応するものである。それは一方において弁護人が厳格な義務を負うことを基礎づける。弁護人は、与えられた権利を適切に駆使して弁護の目的を達成すべきであるとともに、訴訟の内外を問わず正当な弁護活動のわくを逸脱してはならない。激しい情熱と鋭い良心こそ、弁護人に課せられた義務を貫く二本の金線であろう。

弁護人の義務に関係する規定は、刑法・刑事訴訟法等に散在しているが、とくに法源として注意すべきものは弁護士法である。同法は、弁護士の使命および職務（第一章）、弁護士の権利および義務（第四章）について規定をおいたほか、弁護士に対する懲戒の手続を定め（第八章・第九章）、弁護士の誠実な職務執行および高度の品位保持に意を用いている。弁護人は原則として弁護士から選任されるものであること（刑訴三一）、および弁護士たる弁護人に適用される法規その他の規範には、その精神において、弁護士でない弁護人にも妥当するものが多いことを考え合わせると、これらの規範は、弁護人の義務を論ずるについて極めて重要な意味をもつといえよう。

「弁護士法」と題される法律は、今日まで二回の全面改正を経験している。(旧旧)弁護士法(明治二六年三月三日公布、同年五月一日施行)から、(旧)弁護士法(昭和八年五月一日公布、同一一年四月一日施行)を経て、現行の弁護士法(昭和二四年六月一〇日公布、同年九月一日施行)に至る推移は、弁護士自治の原則の発展過程として要約されうる。とくに、日本国憲法のもとで制定された現行弁護士法は、旧法に比べて飛躍的な前進を遂げた。弁護士および弁護士の構成する団体は、はじめて国家の監督を脱却し、広汎な自治権をわがものとしたのである。これに応じて各弁護士会は、それぞれの会則を改正し、また新設の日本弁護士連合会でも会則の制定を見た。これらの会則には、弁護士道徳に関する規定を含んでいるが(弁三三Ⅱ7参照)、日本弁護士連合会では、さらに包括的な弁護士典範の作成を企図し、二年余の才月を費して、昭和三〇年三月二九日、前文および六章三五条よりなる「弁護士倫理」を制定した。その前文は、制定の理由および弁護士の形姿を次のように述べている(「弁護士倫理」の全文は、自由と正義六巻五号、裁時一八二号にある)。

「弁護士は、社会に於ける自由の指導者であり、秩序の擁護者である。自由に進歩と責任とがあり、秩序に正義と自制とがある。国法に規定する弁護士の使命は、基本的人権の擁護と社会正義の実現である。これは法理と倫理との二大要求でなければならない。ここに弁護士の地位に伴う倫理規定が必要となる。今、弁護士の気構えを要約すれば、左の諸点に帰するであろう。

一、弁護士は、正義を尊び自由を愛する。
一、弁護士は、真理を求め倫理を重んずる。
一、弁護士は、秩序を重んじ奉仕と勇気を忘れない。
一、弁護士は、財を貪らず権勢におもねらない。
一　弁護士は、人格を研き良識を養い学術をゆるがせにしない」。

以上の前文に続いて、本文では弁護士に対する禁止規定を列挙している。その違反は、弁護士法ないし弁護士会会則の違反と異なり、直接に懲戒事由を構成するわけではないが、弁護士の「品位」、弁護士会の「秩序又は信用」にかかわる問題として、間接に懲戒の事由となりうる（弁五六Ｉ）。次に、「弁護士倫理」の規定を引用しながら、刑事訴訟における弁護人の義務に触れた判例をとり上げてゆこう。

まず、弁護士の「一般規律」（倫二章）のうち、重要なものはいわゆる「真実義務」の問題である。「弁護士は、勝敗にとらわれて、真実の発見をゆるがせにしてはならない」（倫三Ⅱ）。「弁護士は、偽証の教唆を為し、もしくは虚偽の証拠を提出させ、またはその疑いを受ける言動をしてはならない」（倫七）。ここに、刑事訴訟における弁護人の行為がひとつの限界をもつことは明らかである。しかし、弁護人の地位は、裁判官ないし検察官のそれとはもとより撰を異にする。すでにくりかえし述べたように、弁護人の本来の面目は、被告人の正当な利益の保護者たる点に存する（前出三頁、七頁参照）。刑事司法への協力という役割は、あくまで当事者的な闘争を通じて遂行されなければならない。その意味では、「弁護人は、真実の発見にとらわれて、被告人の保護をゆるがせにしてはならない」という逆説的な表現も成り立つのである。ここから、少なくとも弁護人が積極的に被告人に不利益な行為をすべきでないことは容易に断定できる。これに反して、被告人に利益な行為については微妙な問題を生ずる。被告人の保護と弁護人としての真実義務とは、どのような調和のもとにおかれればよいのであろうか。

弁護人は、みずからは被告人の有罪を知りながら無罪の弁論をなしうるか、という古典的な問に対しては、法哲学者も論争に加わり、実体法と訴訟法とを峻別することによって、肯定的な結論を支持した（Radbruch, Rechtsphilosophie, 5. Aufl., 1956, S. 282. 同書三版について、田中耕太郎訳・法哲学二六一頁）。この訴訟法の独立性に着眼すれば、さきに掲げた二つの命題の矛盾もとり除くことができる。すなわち、「ゆるがせにしてはならない」のは訴訟法的な「真実」であり、「とらわれ」る必要がないのは実体法的な「真実」である。提出せられた証拠に照らして、有罪の立証が疑問の余地なく十分なばあいには、弁護人は、あえて無罪の弁論をすべきではない（法令の適用・刑の量定について弁論できるほか、証拠のうち不適法なもの、または不真実を含むものを批判することはできる）。しかし、検察官の提出した証拠では被告人を有罪とするに足りないときは、被告人が犯人であることを知っていても、弁護人はなお無罪を主張してよいのである（平野・刑訴（法律学全集）七九頁。なお、花井「弁護人の真実義務」中央大学五〇周年記念論文集四一五頁以下、四四三頁は、「証拠不十分による無罪」を主張すべきだと説かれるが、無罪に二種のものを認めるのは妥当でない）。

右のように、実体法的真実と訴訟法的真実との「分離」を認めてかかる態度には異論もありえよう。ラアドブルフは、もっぱら法的安定性を強調して訴訟法の独自性を基礎づけたが（Radbruch, ibid.; 田中訳・前掲書二六二頁）、十分に説得的だとは思われない。ここでは、むしろ正義と合目的性とをともにとり上げるのが当を得ていよう。訴訟法的メカニズムの適正な操作によって得られた結果でなければ、人は有罪とされることがない。これは、今日の文明水準においては、まさに「正義」の要求だと考えるべきである（小野博士は、いみじくも

（昭八）八頁、なお、小野「刑事訴訟法の基礎理論」[illegible]刑事法講座五巻参照）。さらに実体法的真実の優越を承認してしまえば、弁護人の活動が制約される結果かえって被告人に不利益を生ずるおそれがあり（弁護人が「真実」に制約されて被告人に利益な訴訟行為をしないことが、裁判官の不利益な心証形成を招くおそれがある）、また弁護人と被告人との間に存在すべき信頼関係が破壊される危険を生じて（被告人は、もはや安んじて弁護人に真実を語ることができない）、弁護人制度の趣旨は失われる。「合目的性」の理念に反するものというべきであろう。これを要するに、弁護人が訴訟法的真実の観念に即して行動することは、なんら良心に反する行為ではなく、ある程度においては義務ともいいうるのである。

以上に論じた局面とは逆に、弁護人が被告人の無罪を知っているばあいには、たとえ被告人の意思がどうであろうとも、無罪の主張・立証に努めるのが弁護人の義務である。被告人が、自己を傷つけるため、あるいは真犯人の身代りとなるため、偽りの有罪判決を意欲する事例も皆無ではないが、かような意欲は「正当な利益」となりえないから、弁護人はこれに従うべきではない（平野・刑訴（法律学全集）七九頁）。次の【23】は、身代り事件の弁護人（弁護士である）が、真犯人の自首を阻止したことが発覚して犯人隠避罪に問われた珍らしい事案である。

【23】「Xガ自家用ノ自動車ヲ運転操縦中他人ヲ轢傷死ニ致シタル事犯ニ付キ、Yガ其ノ身代リトナリ、真犯人ナルガ如ク当該官憲ニ虚偽ノ申立ヲ為シ、因テ以テ業務上過失致死被告事件ノ被告人トシテ松山区裁判所ノ審理ヲ受クルニ当リ、一方同事件ノ弁護ヲ引受ケタル被告人ハX等ヨリ事情ヲ聴取シ、右自動車運転操縦中ノ事故ハX自ラ惹起シタルモノニシテ、Yハ唯其ノ身代リト為リ居ルニ過ギザルコトヲ知悉シナガラ、真犯人タルXヲ庇護シ其ノ処刑ヲ免レシメンガ為メ、Xヨリ自首ノ決意アルコトヲ被告人ニ洩ラスヤ、被告人ハXニ対シYノ前記事件ヲ進行セシムルヲ可トスベキ旨ヲ申向ケテ、XヲシテÍ首ノ決意ヲ阻止セシメ、併セテ前叙ノ如クニシテ同事件ヲ進行結審セシメシ以上、被告人ノ夫レ等ノ行為ハ、Yガ身代リ犯人ト為レ

ル行為ト相俟テ、真犯人ヲ隠避セシメタルモノト云ヒ得ベキモノトス」(大判昭五・二・七刑集九・五一)。

【23】において、大審院は、右判示の前提として「弁護人タル被告人ハ、真犯人ノYニ非ザル事実ヲ知リタル以上、仮令弁護士タル業務上知リ得タル秘密ヲ漏泄スル結果ヲ来スモ、弁護ヲ辞任セザル限リ、右事実ヲ申述シテ公訴ノ不当ナルコトヲ主張シ、且之ヲ証明セザルベカラザル筋合ナリ」と述べ、Xが犯人である事実を法廷に顕出することが、Yの弁護人としての被告人の義務だと説いた。しかし、「事件について知つた依頼者の秘密は厳に守らなければならない」(倫二六)ことも、同様に弁護士たる弁護人の重要な義務であつて、大審院の説示は、――本件には、X自身が弁護人に自首の決意を語つたという特殊事情があるにもせよ――この点の十分な顧慮を欠いた嫌いがある。それは、むしろ、未だ弁護士の守秘義務(および守秘の権利)を正面から法文化するに至らなかつた当時の法律状態を反映したものとして理解さるべきであろう(現行弁護士法二三条にあたる規定は、旧弁護士法二一条ではじめて設けられたものである。なお、守秘義務については、後出四四頁参照)。

それでは、【23】のような身代り事件において、弁護人の義務衝突をどう解決したらよいか。第一の方途は、Xを説得し自首を勧めることである。依頼者に対する自首の勧告は、通常、弁護士の義務ではありえないが、このばあいには例外を認めなければならない。より正確にいえば、Yの弁護人たる弁護士は、Xに対して受任者=依頼者の関係には入ることができず、したがつてその自首の勧告は、「依頼者に対する」ものではないのである。Xが自首を拒んだときは、Yのためにその事実を申述しても違法でないことは【23】の認めるとおりであり、また、Yの弁護人を辞任することも禁ぜられるわけではない(とくに、国選弁護のばあいの辞任の問題については、後出三八頁以下参照)。以上のすべての方途を回避し、いたずらにYの有罪を確定させたばあいは、少なくとも「正義を実現することを使命とする」(倫一)弁護士の格を破り、「誠実公正に職務を行わなければならない」(倫三I)任に背いた者として、非難を受くべきこと当然である。

「真実義務」は、弁護人の裁判所に対する行動を限界づけるだけでなく、被告人・被疑者または証人その他の第三者に対する行動にもひとつの枠を作り出す。「弁護士倫理」が、偽証教唆またはこれに類する行為の実行はもちろんのこと、その疑いを受けるような言動をも禁止していることは前にも述べた(前出二五頁)。弁護人の行為が偽証罪、証憑湮滅罪等の構成要件に該当するばあいには、被告人の利益のためになされた故をもつて違法性を阻却することはない。それは、弁護人の保護すべき「正当な利益」の観念とまつたく相容れないからである。次の【24】は、弁護士たる弁護人が、証憑の偽造および偽造証憑の使用を教唆して、有罪判決を受けた稀少例を示している。

【24】「被告人Kは昭和二二年頃から弁護士を開業し、東京弁護士会所属の弁護士として弁護活動に従事していたところ、前記総選挙に際して犯されたH派の公職選挙法違反事件につき同三三年六月一〇日過頃右同人よりその弁護を依頼された者であるが、……同年六月二四日、当時千葉地方検察庁において捜査中のHにかかる同人が前記第一の(一)記載の日時、場所において、同記載の趣旨の下に被告人Iに現金五〇万円を供与した旨の公職選挙法違反被疑事実、及び被告人Iにかかる右同記載の公職選挙法違反被疑事実につき、被告人Iが同検察庁検察官にその旨自供したことを聞知しながら、右Hと共謀の上、前記H・I両名にかかる各被疑事実を隠蔽しようと企て、同月二九日から同年七月三日に至る間、……Hが実権を有する同都中央区銀座西五丁目一番地所在K会社の経理部長Oに対し、前記五〇万円は同人が同年四月一二日頃右K会社において、被告人Iに直接個人献金として手交したものである旨の虚偽の事実を記載した上申書を作成して同検察庁検察官に提出すべき旨慫慂説得し、尚右五〇万円の出所に関する取調に備え、偶々Oが同年三月五日D信用金庫日本橋支店より同人名義の定期預金五〇万円の払戻を受けた事実を之に利用しようとしたが、その払戻の日時と前記金員授受の日時(同年四月一二日頃)との期間が長過ぎるのに気付き、これが辻褄を合わせるため、前記K会社総務部に備付けの金庫内に殊更にO私有の貴重品を入れた手提

金庫を入れ置き、前記五〇万円は被告人Iに手交する迄はその手提金庫の中に保管されているもののように作為すべき旨指示して強いて之を承諾させた上、右Oをして、

(一)　同年七月二日頃前記K会社において、予ねて同会社の社印箱代用として使用し同会社経理部において保管中の手提金庫一個内より社印等を取り出し、之にO私有の株券、保険証券等を入れ換えさせた上、これを同会社総務部金庫内に蔵置させ恰も前記五〇万円が同所に保管してあつたもののように装置させ、もつて前記被疑事件の証憑の偽造を教唆し、

(二)　同年七月四日同会社において前記五〇万円はOが直接被告人Iに個人献金した旨の虚偽の記載した上申書を作成させ、同日これを弁護士Rを介して同検察庁検察官に提出させ、もつて右各被疑事件の証憑の偽造及び偽造証憑の使用を教唆したものである」(千葉地判昭三四・九・一二判時二〇七・三四)。

【24】のような事案は、今日おそらく絶無に近いであろう。しかし、「弁護ハ罪囚ノ寃枉ヲ伸べ、其ノ屈辱ヲ雪グニ適セズシテ、却ツテ其ノ強戻狡猾ヲ媒助スルノ好具タランノミ」(林頼三郎・刑訴法要義序(花井卓蔵識)、同書一七頁より引用)と説かれた八〇年前の僻見が、かりそめにも残存してはならない。「弁護士倫理」が、「疑いを受ける言動」(前出二五頁参照)まで禁止する強い態度を示したのは首肯しうるところである。ただ、刑事訴訟の当事者主義化に応じて、弁護人の立証活動が大きく比重を増していることに注意しなければならない。

公判期日における立証活動を十分行なうためには、事前の準備が不可欠である。かつては公判期日前に証人と面接しないのが弁護士の徳義だとされたが、今やこのような考えは「時代錯誤である」と評されるに至つた(岸=横川・事実審理四七頁。なお、同書一五頁、九八頁参照)。証人尋問に関する準備を命じた規則一九一条の三も、この、いわば改革された倫理観念を前提としている。弁護人は、もはや瓜田李下を避けてはならないのである。同時に、その他の訴訟関係人は、とくにこの点の理解を深めなければならない。「検察官も、軽軽しく弁護人に対し、偽証教唆の嫌疑などかけないように」という警告(岸=横川・事実審理一〇四頁)、「(この種の問

題は）、原則として、弁護士会の自主的な処分に委ねるべきである」という提唱（平野・刑訴（法律学全集）七九頁）は、いずれも虚心に聴かるべき重要な発言である。

以上は、弁護人自身が偽証教唆、証憑湮滅等の行為に出るばあいを眼中において論じた。被告人または第三者が、被告人のためにこれらの行為をしたばあい、弁護人にはどのような義務が認められるであろうか。訴訟的真実発見に対する違法な妨害を黙視するのは、「真実義務」に背くものである。したがつて、偽証しようとする証人や偽造・変造の証拠に対しては、少なくともその提出を思いとどまるよう被告人を説得すべきであり、さらにかような証拠の根源となる被告人・第三者の偽証教唆、証憑湮滅行為の抑制に努力するのが望ましい。被告人が弁護人の説得を受けいれないときは、辞任するほかない。いつたん弁護人となつた以上、被告人に不利益な事実を裁判所に申述することは許されない。しかし、弁護人の努力にもかかわらず、被告人に有利に作為された証拠が公判廷に顕出されてしまつたばあい、弁護人が、「真実義務」を守るために、ある程度被告人に不利益な態度をとることはやむをえないであろう。

右に述べたのは、すべて被告人等の行為が違法なばあいである。適法な行為については、それが真実発見を困難ならしめるものであつても、「訴訟的真実発見の妨害」をもつて目することはできない。この限界はかなり微妙であるが、何が適法な行為であるかについて教示することは、むろん弁護士としての「真実義務」に反しないであろう。しかし、「教示」は一歩を進めると「勧奨」となる。「真実発見を困難ならしめる行為の勧奨」が許されるかどうかの判断には、弁護士の「名誉・信用・品位」

（倫二参照）の観点も入りこむ。次の懲戒裁判所判決は、この間の消息を伝えるものである。

【25】「被告Tは、東京地方裁判所所属弁護士となり東京弁護士会に加入し其職務に従事中、其政友たる東京市会議員……Aが、大正一〇年一月二四日、将さに任意東京地方裁判所検事局に出頭せんとするに際し、……既にAが収賄罪の犯人として起訴せられ居ることを熟知せるに拘らず、Aに対し、裁判所へ行くのは止めよ、裁判所に行つたら最後レールに乗つて走る様なもので行く処まで行つて仕舞う、七年隠れて居つたら時効にかかつて消えて仕舞うのである、行かないで居つたらどうかと説きて逃亡方勧告したるものなり。……右被告Tの所為は、弁護士たるの体面を汚すものにして、東京弁護士会会則第三九条に該当するを以て、弁護士法第三三条所定の懲戒罰中停職を選択し、被告を停職二月に処すべきものとす。

被告Tが、収賄を為したる東京市会議員Aに対し、大正九年一二月中央亭よりの帰途、路上に於て、『人はよく裁判所に出ると直ぐ喋べつて仕舞うが、裁判所へ出た時には心理状態を変えなければいかぬ。判検事を人と思うから直ぐに喋べらされて仕舞うのだから、木や石に物を言う様な気分にならなければいかぬ。よく判検事は、相手の者が皆言うて仕舞うたとか、或は又言えば無罪にしてやるなどと……〔いうがこれに〕騙されぬ様にしなければならぬ。否認するのが一番宜し』との旨を申し聞け、以て同人に犯罪事実の否認を勧告したりとの事実は、之を認むべき証憑十分ならざれども、右は包括的に前掲会則違反をなすものとして訴追ありたる一部事実に過ぎざるを以て、此の点につき別に宣告を用いず」（東京控懲戒裁判所判大一二・六・三〇新聞二一五七・八）。

次に、「法廷等における規律」（倫二章）は、いろいろの問題を含むが、ここでは、法廷秩序の維持と訴訟進行への協力という二つの観点から考察してみよう。

法廷秩序の問題について「弁護士倫理」は次のようにこれを強調する。「弁護士は、法廷その他において、裁判の威信を害する行為をしてはならない」（倫九Ⅰ）。「法廷の秩序維持……については、裁判所と協力しなければならない」（倫九Ⅱ）。「前二項に反する訴訟関係人の言動を教唆または支持してはならない」（倫九Ⅲ）。法曹の一員たる弁護士の自戒の言として、これらの定めはまことに適切であろう。しかし、その劈頭に言う「裁判の威信」とは何であろうか。

「裁判の威信」あるいは「法廷の威信」について、今日の社会通念は、決して一義的なものを示していない。このことをわれわれに痛感させたのは、昭和二九年以降、ほのおのように燃えさかつた裁判批判是非論であつた。技術的な細かい論議をしばらく別にすれば、是非の両論は、「裁判の威信」に対する見解の相違を根拠として主張されたといつてよかろう。裁判批判によつて「裁判の威信」が低下することを憂える人がある一方には、「裁判の威信」は、きびしい批判の摂取を通じて保持されると考える人もいる。このような対立を含んだ観念を法文化するならば、その解釈適用をめぐつてふたたび争いを生ずることは避け難い。そして、その争いが、法の支え手である裁判官と弁護士とを直接の当事者として生ずるとき、それは司法の危機といつても過言ではないであろう。

昭和二七年に制定、施行された「法廷等の秩序維持に関する法律」は、「裁判の威信を保持すること」を目的の中に掲げ(同法一)、「裁判の威信を著しく害した者」をも制裁の対象とした(同法二I)。その後、この法律が、弁護人に対して発動された例はなかつたが、昭和三五年に至つて、東京地裁で二件の制裁事件が相次いで起り、世人の耳目を聳動させた(制裁を科する裁判に先立つて、「拘束」も行なわれた)。次に示す【26】はT弁護人を過料三万円に、同じく【27】はF弁護人を監置二〇日に処した制裁決定の各理由である。

【26】「本人は、東京弁護士会所属弁護士であるが、昭和三五年七月一一日午後一時四〇分ごろ東京簡易裁判所刑事第一号法廷において被疑者Oに対する暴力行為等処罰に関する法律違反等被疑事件について開かれた勾留理由開示期日において、当裁判官の訴訟指揮に従わず裁判所の職務の執行を妨害し、なお裁判の威信を著しく傷つけたものである」(東京地決昭三五・七・一一判時二三五・一〇)。

【27】「本人は、東京弁護士会所属弁護士であるが、昭和三五年八月八日午前一一時頃、東京地方裁判所刑事第一四部法廷

（東京簡易裁判所民事二号法廷）において被告人Hに対する暴力行為等処罰に関する法律違反等被告事件（所謂ハガチー事件）について、勾留理由開示手続が行われた際、当裁判官に対し、忌避の申立を為すに当り、忌避の理由として陳述した事項の中に、裁判官の警告を無視し、『裁判官は偏見を持つている外、裁判官として能力がない。裁判官として被疑者を勾留するについて要件が充たされているかを判断する能力がない』『裁判官として人権を拘束する場合に虚心に慎重な判断をする能力を欠いている』『裁判官は訴訟手続を憲法と刑事訴訟法の精神に従つて解釈する能力がない』等と発言し、裁判官よりその発言の取消謝罪を要求されても謝罪せず、もつて暴言を発し、裁判の威信を著しく害したものである」（東京地決昭三五・八・八判時二三五・五）。

制裁を課せられたT弁護士、F弁護士はいずれも東京高裁へ抗告を申し立てたが棄却され、さらに最高裁へ特別抗告したがともに棄却された。特別抗告の理由は、法廷秩序維持法による制裁手続自体の違憲性をも主張しているが、この点は、被制裁者が弁護人であつたこととは関係がない（制裁手続と憲法との関係については、最決昭三三・一〇・一五（大法廷）刑集一二・一四・三二九一がある）。問題は、弁護人に対する拘束および制裁権の発動が被告人の「弁護人に依頼する権利」（憲三四・三七Ⅲ）を侵害するおそれはないかにある。少なくとも制裁が不当に行なわれるばあいは、弁護人の活動はおのずから萎縮し、ひいて被告人の憲法上の権利に影響を及ぼす危険があることを認めなければならない。特別抗告理由は、この問題についてもかなり詳しく立論したが（【26】に対して、「人権のために」六号、【27】に対して、判時二三八号各参照）、おおむね原審で主張していないという理由で排斥され、単に制裁の対象となる者は、いやしくも裁判所または裁判官の面前等において本法二条所定の言動をなす限り、それが被告人であると、弁護人であると、はたまた一般傍聴人であるとを問わない（最決昭三五・九・二一判時二三八・七。【27】に関する特別抗告事件）と判示されたにとどまつた。弁護人といえども無制約的な自由を有するものでないことはいうまでもないから、最高裁判所の前示判文も、抽象論としては正しいといえよう。しかし、他方において弁護権の尊重がきびしく要求されている以上、制裁権の行使が弁護人を対象とするばあいには、とくに裁判所の慎重な態度が望まれねばならない。もつと実質的にいつて、裁判の場における被告人の保護者としての弁護人を相手に、「威信を害」された当の裁判所が、「制裁」という手段をとり、その結果、裁判の公正に対する国民の信頼がいささかでも揺ぐとしたら、それは裁判所みずからその「威信」を傷つけることになろう。このような憂うべき事態を避けるためにとるべき方策は、裁判所が権限の行使に十分慎重を期し、一方、弁護士会が、弁護士法および弁護士倫理の規定に従つて、自主的な解決をはかることにあると思われる（弁護士会が懲戒処分を避けてきたことと、裁判所による制裁権発動との間に関連があることは、弁護士会の内部でも指摘されている。森長「勾留理由の開示と法廷侮辱」世界昭和三五年一〇月号）。弁護士自治の原則のわく内においてならば、起りうべき見解の対立を止揚してゆくことも不可能ではないであろう。

次に、訴訟への協力も重要な問題である。「弁護士倫理」によれば、「弁護士は、……訴訟の進行については、裁判所と協力しなければならない」（倫九Ⅱ。なお、継続審理に関する刑訴規一七九の二以下参照）。「単に訴訟遅延の目的で攻撃防禦をしてはならない」（倫一〇）。「出廷の時間、書類の提出その他職務上の規律は厳守しなければならない」（倫一一）。すべて、抽象的な命題としては、異論の余地なく正当なものである。しかし、訴訟が、闘争を通じて正しさへ接近する過程である以上、その「協力」がいやしくも妥協や屈従として具体化されてはならないことも、また当然だといえよう。この点で、協力義務の違反か、屈従妥協の拒否かについて、しばしば微妙な問題を生ずることは避け難い。とくに争いを招きやすいのは忌避権の行使である。旧弁護士法時代には、これを理由に懲戒罰を科した事例も見出される。

【28】「被告五名ハ高知地方裁判所所属弁護士ニシテ、同裁判所ニ係属スル……被告事件……ノ弁護人トシテ……公判廷ニ

出頭シ、裁判長ガ各刑事被告人ニ対スル訊問及各証憑ノ取調ヲ終リタル後……人証鑑定書類取寄ノ申請ヲ為シタルニ、裁判長ハ申請却下ノ決定ヲ言渡シ、証憑取調済ノ旨ヲ宣告シタリ。時正ニ午後四時五十分頃ナリ。是ニ於テカ被告Iハ、弁護人一同ヲ代表シテ、時既ニ点燈時ニ及ベルコト、被告I・Oハ感冒ニ罹リ夜間ノ弁論ニ堪エザルコト、及ビ他ノ弁護人一名ハ其ノ夜知人ノ送別会ニ列席スルノ約アルコトヲ理由トシ、弁論ノ延期ヲ申請シ、裁判長ガ感冒ニ罹レル弁護人ノミニ対シ延期ヲ許可シ、其ノ他ノ弁護人ニ対シテハ申請ヲ却下スル旨ヲ言渡スヤ、被告等……ハ協議スルコトアリテ暫時退廷シ、裁判所ガ既ニ点燈時ニ及ベルニ弁論ノ延期ヲ許サザルハ……是レ事案ニ付キ予断スル所アルニ由ルモノニシテ、裁判ノ公平ヲ期スベカラザルノ疑アリト速断シ、今一応……再考ヲ促シ尚顧ミラレザルニ於テハ列席判事ヲ忌避スベシト議決シタル上、更ニ出廷シ、被告Y、弁護人一同ヲ代表シテ裁判所ノ意思ヲ確メタルニ、裁判所ハ前決定ヲ固持シテ動カザリシヲ以テ、被告Wハ、弁護人一同ヲ代表シテ、予定ノ如ク偏頗ノ恐レアルモノトシテ裁判長N、陪席判事H・Tニ対スル忌避ノ申請ヲ為シタリ。……被告等ノ右所為ハ、高知地方裁判所所属弁護士会会則第二三条ニ、会員ハ弁護士タルノ品位ヲ保持スベシトアルニ違背シタルモノニシテ、弁護士法第三三条第一号ノ懲戒罰ニ処スルヲ相当ナリトス。（譴責処分）」（大判大一一・九・二六 評論一一諸法三二二）。

右の【28】の原判決（大阪控訴院における懲戒裁判）は、前叙の事実を認定したのち、「何等正当ノ原因ナクシテ徒ニ忌避ノ申請ヲ為シ、以テ裁判所ヲシテ弁論ヲ中止スルノ已ムコトヲ得ザルニ至ラシメ、因テ刑事訴訟ヲ妨害シタルモノナリ」と判示して、被告五名を各過料五〇円に処したのであったが、大審院は、これを「量刑」不当として、譴責処分に改めた。同じような大審院の慎重さは、次の【29】でも見られる。忌避申立が決定で却下されたのち公判立会を拒んで退廷した弁護人に対し、東京控訴院は、懲戒裁判を行なつて譴責処分を言い渡したが、大審院は、次に示すように立会義務の存在を縷々説示した上で、本件被告は、忌避申立に理由があり公判立会の必要はないと信じており、かつ信ずるにつき相当の理由があつたとして、原判決を取り消した。

【29】　「弁護人ガ被告人ノ為ニ被告事件ノ公判ニ立会ヒ、其ノアラユル段階ニ於テ与ヘラレタル弁護権ヲ行使スルコトガ、

被告人ノ正当ナル利益擁護上至緊至要ノコトタルハ、公判中心主義ヲ採ル刑事訴訟手続ノ下ニ於テ言ヲ俟タザルトコロト謂フベク、殊ニ公判ニ於テ弁護人ガ裁判長ノ許可ヲ得被告人証人等ヲ訊問シ、被告人証人等ノ供述中不明ナル点又ハ其ノ意ヲ尽サザル点ヲ明瞭ニシ利益ノ陳述ヲ求ムルガ如キ、証拠ノ提出又ハ其ノ取調ノ請求ヲ為スガ如キ、証拠調後意見ヲ陳述スルガ如キ、訴訟手続ニ付異議ヲ申立テ不当ナル手続ヲ排スルガ如キ、又ハ被告人ノ為忌避ノ申立ヲ為スガ如キハ、何レモ被告人ノ正当ナル利益ヲ擁護スル為欠クベカラザルコトニ属シ、這ハ被告人ノ自ラ能クスルトコロニアラズシテ、弁護人ノ立会ヲ俟チテ始メテ完全ニ其ノ効果ヲ挙ゲ得ベキヲ常トシ、而モ斯ル機会ハ公判審理ノ如何ナル段階ニ発生スルヤ予メ測ルベカラザルコトナレバ、弁護人ガ斯ル権限ヲ行フガ為ニハ須ク終始公判審理ニ立会ヒ、其ノ経過ニ深甚ノ注意ヲ払フコトヲ要スルヤ当然ナリト謂フベキカ故ニ、苟モ当該弁護人ニシテ弁護人タル地位ヲ保有スル限リハ、其ノ当然ノ職責トシテ、被告人ノ意思ニ拘ラズ公判審理ニ立会ヒ、被告人ノ為其ノ正当ナル利益ノ擁護ニ努ムベキ義務アリト為スヲ以テ、我刑事訴訟法上ノ原則ナリト認メザルベカラズ。……右ノ如キ立会義務ハ、弁護人ニ於テ、偏頗ノ裁判ヲ為スノ虞アリトノ理由ヲ以テ裁判長ニ対シ忌避ノ申立ヲ為シ、裁判所ガ、之ニ対シ其ノ職務上ノ認定権ニ依リ……〔簡易却下ノ〕決定ヲ為シ、公判手続ヲ進行スル場合ニ在リテモ尚ホ存スルコト一般ノ場合ト毫モ異ルトコロナキモノトス」(大判昭七・一二・三評論二二刑訴三)。

現行弁護士法に移行したのちも、弁護人と裁判所とが忌避権の行使をめぐつて対立した事例は消滅したわけではなかつたが、とくにこの問題が注目をひくようになつたのは、昭和三〇年頃からである。同年六月二二日に判決が言い渡されたいわゆる三鷹事件の上告審審理に関して、最高裁判所の裁判官に対する忌避が申し立てられた。このころから「忌避権の濫用」という批評的な言辞が唱えられるようになり(田中「忌避権の濫用」法曹時報九巻二号(昭三二)がこれを代表する論文)、昭和三四年五月に開催された高裁長官地家裁所長会同では、「忌避の申立および弾該訴追の請求をみだりに行う一部の傾向」を遺憾とする旨の決議が行なわれた(裁時三〇六・一二)。ここにも、すでに述べた「威信」論争と同種の問題があることは、あらためて指摘するまでもないであろう。裁判所には自省と謙抑とを、弁護士会には勇気と実行力とを、それぞれに期待したい。

「弁護士倫理」の第三章以下は、順次、官庁との規律、弁護士間の規律、依頼者との規律、事件の相手方との規律、および、その他の規律の各章にあてられているが、その中には、刑事手続に関係の深い規律も多数含まれている。しかし、ここでは、一二条一項、二二条一項、および二六条の三カ条を取り上げるにとどめよう。

「官公庁から依嘱された事項は、理由なく拒絶してはならない」(倫一二I)。これは、弁護士に、正当な理由がないかぎり、官公庁等からの委嘱事項を行なう義務を、拒み得ないとする弁護士法二四条を受けた規定である。この規定は、国選弁護人の選任について問題となり得るが、実際には、各裁判所が、事件毎に弁護士会に通知し、以後の具体的人選措置は、当該弁護士会に一任するという形で、ほぼ円滑に運用されている(最高裁事務総長通達昭二三・六・九刑事裁判資料六七・一八参照)。「正当な理由」の例としては、病気、長期の旅行などが挙げられてきたが(金子・弁護士法精義(昭九)二三三頁)、とくに深く論じられたことはなかつた(なお、後出〔97における小谷裁判官の補足意見〕一一二頁、その他一一三頁、一一六頁参照)。

ところが、昭和三五年になつて、はしなくも弁護士法二四条ないし弁護士倫理一二条一項の解釈に鋭い反省を迫る事件が、二回にわたつて報道された。第一の事件は控訴審である東京高等裁判所、第二の事件は上告審である最高裁判所で発生したという違いはあるが、国選弁護人が、死刑の原審判決に対して、記録を精査するも上訴の理由はない旨の趣意書を提出し、実質的にはなんら弁論をしなかつた点において(従来、国選弁護人には、このような態度が当然に許されていると考えられてきた。青柳・刑訴法通論下巻五九九頁参照)、右二例は、共通の問題を提起するものであつた(事件の簡単な経緯については、「年間回顧」ジュリスト二二六号六三頁参照)。「死刑事件」というひとつの極限状況を背景としていただけに、ジャーナリズムの報道は、異常に高い社会的関心を反映していたといってよい。世論に対して、いわば被告的立場におかれた日本弁護士連合会は、国選弁護に関する特別委員会を設けて審議したのち、次に記すような統一解釈を打ち出し、これを全国の各弁護士会長に通達した(金末「国選弁護人問題の経緯」ジュリスト二一三号九頁、野間「社会保障としての国選弁護」自由と正義一一巻一一号一頁による)。

記

一、刑事上告事件の国選弁護人は、刑事訴訟法第四〇五条、同第四〇六条、同第四一一条に基いて、誠実に記録を精査して上告趣意書を提出すべきである。

二、右精査した上で上告理由なしと思料した場合は、上申書を以てその旨を明かにし、速やかに国選弁護人を辞任すべきである。

(註) 右様の場合は、弁護士法第二四条に所謂正当の理由があるものと解する。

この統一解釈には、さらに、関係当局の協力を要望する意味の次のような決議が、附帯事項として加えられている。なお、附帯事項については、最高裁判所長官、法務大臣、および検事総長に対して申し入れが行なわれた。

附帯事項

1 現行刑事訴訟法第四〇五条の上告理由は狭きに失するをもつて、法令違反をも上告理由に加えるべきである。

2 宣告刑が死刑の場合には、裁判所はその旨を明示して国選弁護人の推薦を依頼すべきである。この場合は、複数の国選弁護人を選任することを認められたい。

3 宣告刑が死刑の場合の上告審では、検察庁は、被告人の身柄を東京に移し、弁護人との接見、交通を容易にせられたい。

以上に示した連合会決議は、上告制度のあり方と弁護人の職責の両者にまたがる重要な問題を含んでいるので、ここで若干の考察を試みておこう。弁護人の職責の観点からとらえれば、問題の核心は、

「統一解釈」の註に示された見解が、弁護士法二四条の解釈として正しいかどうかにある。団藤教授は、「統一解釈」の全体について、「心構えとしては結構なことである。しかし、理論的にはおそらく行きすぎ」と評された（団藤「死刑事件と国選弁護人」ジュリスト二一三号六頁以下、八頁）。おもうに、弁護人の本質的な任務は、被告人の正当な利益の保護にある（前出七頁、二一頁、二五頁参照）。上訴を申し立てた被告人は、原判決の全部または一部に対して多かれ少なかれ不服をもっているはずである。その不服を理解し、これに法律的な表現を与えて、上訴審の判断を求めさせることは、次のような点をしばらく留保すれば、弁護人の当然の職責だといわなければならない。

その「留保」は、上訴制度のもつ技術的な限界からくる。上訴は、より正しい裁判の実現を目的とするには違いないが、その目的は、単なる審理のくりかえしによっては達成されない。現行法は、まず控訴審を事実・法律の両面にわたる事後審査審とした。上告審に至っては憲法違反・判例違反の審査を中心とする特殊な審級とされ、事件の具体的救済を超えて、憲法の擁護および法令解釈の統一が指向されているのである。この点に重きをおいて考えたばあい、「統一解釈」の第二項は、理解できなくはない。けだし、憲法違反および判例違反の問題は、訴訟記録の調査によって判断することが比較的容易であり、「理由なし」との結論にも到達し易いからである。しかし、なお疑問は残る。弁護人が、記録を精密に検討した上で、上告の理由がない旨の結論を、しかも上申書という書面の形で——これには、弁護人に慎重な態度を要求する意味での合理性はあるが——明らかにするとすれば、それは、実質上、「国選弁護人による裁判」を認めよというに近い。「理論的に……行きすぎ」との批評はとうてい免れ難いのではあるまいか。のみならず、右のような考え方は、司法制度への協力を出発点としている。けだし、弁護人が上告の特殊性を強調し、理由のない上告には関与しないという方針をとれば、伝えられる上告の過多現象に対して（田中耕太郎「上訴権の濫用とその対策」法曹時報六巻一号、法と裁判（昭三五）所収参照）、著大な抑制力が発揮されるであろうことは、疑いを容れないからである。しかるに、「統一解釈」第二項後段が、速やかな辞任を肯定ないし要求していることは、そこから生じうべき実際上の混乱を考えれば、むしろ司法への協力拒否を意味するものであり、出発点との間にずれがあることになる。甲弁護人が、「誠実に記録を精査して」、上告理由なしと判断した事件について、上告理由ありと考える乙弁護人の存在を予定することは、司法の中に僥倖への期待を持ちこむことにほかならない。しかも、被告人が、弁護人選任請求を撤回しないかぎり、弁護人を選任しないで裁判することはできないし、公判期日を開いて審理するばあいは、上告審であっても、むろん必要的弁護の規定が適用されるのである。とくに死刑事件については、死刑廃止論者の弁護士を選任すればよいという議論もあるが、もとより皮相の見に過ぎない。また、一歩を譲って、上告理由を発見しうる弁護士が必ず出現するとしても、入れかわり立ちかわり記録を精査する間に、訴訟は著しく遅延し、「迅速な裁判」の要求に背馳する危険は否定し難いのである。

しかし、「統一解釈」および「附帯決議」は、むしろ現行の上告審の特殊性を否認する方向において立案されていると思われる。「統一解釈」の第一項は、刑訴四〇五条、四〇六条と並べて、四一一条を掲げているが、同条は、前二者と意義を異にし、事件の具体的救済を主眼として、最高裁判所に職権破棄権を与えた規定であるにすぎない。同条所定事由のうち、法令違反一般を上告理由に加えよ、というのが弁護士会の年来の主張であることは、よく知られているとおりで、「附帯事項」もその1にこれを謳っている。上告審の実態を調べた統計によれば、過去八年間を通じて刑事事件における破棄理由は、四一一条一号（法令違反）が圧倒的に多く、また、上告申立の理由は、四一一条二号三号（量刑不当・事実誤認）に著るしい傾斜を示した（高橋「新刑事訴訟法施行一〇年の運用実績」（その二）法律時報三二巻九号）。これが、法規範と現実との分裂を意味することは明らかであるが、ここでは、その原因や対策の考察には立ち入らない。

今は、弁護士会の一般的見解が、「現実」に立脚し、事件の具体的是正を重視していることを述べれば足りる。そのことは、「附帯事項」の3にも現われている。被告人との接見交通が重要なのは、事実審的救済への要求があるためにほかならない。「死刑事件」にかぎつていえば、これは適切な配慮だといえよう。ただ、問題は、はじめに述べたように、最高裁判所を旧大審院に接近させようとする構想を背景において、「統一解釈」が打ち出されている点にある。いささか極言の嫌いはあるが、その第一項は、現行の上告理由を、「著しく正義に反する」限りにおいて、法令違反、量刑不当および事実誤認一般に拡張したかの如くである。こう見てくると、「統一解釈」の重点はむしろ第一項にあり、第二項はいわばつけたりに過ぎない。そして、第二項が発動されるのは、記録上、原判決になんらの非違が認められないような例外的なばあいだということになる。さきに言及した辞任に伴なう実際的困難の問題は、この考え方を取ればある程度受けいれやすい。けだし、少数異例のばあいに限られるのであれば、審判の混乱、手続の遅延をそれほど恐れるに足りないからである。しかし、逆に、辞任が現実に行なわれたばあいの処理は一そう困難を増す。異例の辞任を敢えてしたからには、後任の弁護人を発見することは容易ではないに違いない。「辞任」は、主観的にはまつたく良心の命令に従つて行なわれたにせよ、客観的にはむしろ責任の回避を意味するものではなかろうか。この点においても、「統一解釈」の「行きすぎ」の感は、抹消し難いと思われる。

以上、縷述してきたところから結論的にいえば、上訴の理由がないという主張は、国選弁護を辞任する「正当な理由」に数えるべきではないということになる。弁護人が、被告人に対し、理非を説いて上訴の自発的取下をすすめることは格別、弁護人としては、訴訟の内部にとどまつて、その職責をつくすことが、被告人の保護に資することはもとより、司法への協力を果すものである。こう言うことは、こじつけの上訴理由を作成せよという意味ではむろんない。上訴を申し立てた被告人の真意を把握し、これに法律的な表現を与えてやれば充分である。上訴制度の存在を前提として考えるかぎり、それはひとつの刑事政策的要請ではあるまいか。

次に、依頼者との関係で、まず、「現に受任している事件と利害相反する事件を引受けてはならない」(倫二二I)とする規定がある。これは弁護士法二五条に含まれる双方代理の禁止と相通ずるものをもち、私選・国選の別を問わず妥当する規範である。刑事訴訟規則は、とくに国選弁護のばあいについて、同一の弁護人に利害相反する二人以上の被告人の弁護をさせてはならない旨を定める(刑訴規二九II)。詳細は、後述するところに譲ろうと思う(私選のばあいにつき、五一頁以下、国選のばあいにつき、一一八頁以下)。

最後に、これも依頼者との関係で、秘密を守る義務が掲げられていることに言及しておこう(倫二六、前出二八頁参照）。弁護士の守秘義務は、刑法一三四条および弁護士法二三条の要求するところであり、一方これらの規定と相応じて、弁護士には、押収拒絶権（刑訴一〇五）、および証言拒絶権（刑訴一四九、民訴二八一Ｉ）が認められている。また弁護士法二三条は、秘密の保持を、義務であると同時に権利であるとしている。弁護士の置かれている法的地位は、これらの法条によつてほぼ明らかだといつてよい。しかし、守秘義務とその他の義務とが抵触するばあい、どちらが優先するかという問題の答は、必ずしも明白ではない。たとえば、守秘義務と証言義務との関係ではもはや先後の問題は起らないとすれば、証言拒絶権を行使するかどうかは権利者の自由に委ねられ、証言してもむろん違法ではないことになる（通説）が、両者の軽重を具体的に比較し、証言による司法上の利益が優越するばあいに限り、守秘義務が解除されるという考え方（江家・刑法各論二四三頁）に立てば、証言拒絶権はむしろ義務的な色彩を持つことになる。司法上の利益もつねに絶対的なものではあり得ないから、理論的には後説の方が妥当であろう。ただ軽重の比較は、実際上困難なことが多いと思われる。次に示す【30】は、前に掲げた【23】と同じ事件で、【23】の判示に先立つて、被告人が身代りだという事実を裁判所に申述すべき弁護人の「職責」は、守秘義務に優先すると説いた部分である（前出二七頁参照）。

【30】　「弁護人ガ其ノ職責ヲ果スニ当リ仮令弁護士トシテ業務上取扱ヒタルコトニ付知リ得タル人ノ秘密ヲ漏泄スル結果ヲ生ズルコトアリトセムモ違法ヲ阻却シ秘密漏泄罪成立セザルハ勿論何等法律上ノ責任ヲ生ズルコトナ〔シ〕」（大判昭五・二・七刑集九・五一）。

二　私選弁護人の選任

一　選任可能の時期

刑事訴訟の歴史は弁護権拡大の歴史であるということばは、以下、随所でその実証を見出すが、刑事手続のどの段階で弁護人の私選が許されるかという問題についても、訴訟法の変化は顕著である。すなわち、旧旧刑訴は、弁護人の選任を公判に関して認めたのみであったが（旧旧刑訴一七九）、旧刑訴では、起訴後は予審においても選任できることとなり、さらに現行刑訴によって被疑者の段階にまで拡張された。これは、現行法の当事者主義的性格の一表現であるが、職権主義的な刑事訴訟のばあいであっても、起訴前の弁護人制度の必要性が否定されるわけではない。次の【31】は、この点を側面から承認したものとして興味をひく判例である。

【31】　「我カ刑事訴訟法ニ於テハ……公訴提起前弁護人ヲ選任スルコトヲ許サザルモ、右ハ刑事訴訟手続上弁護人ヲ附スルコトヲ得可キ段階ヲ定メタルニ止リ、弁護委任ノ時期ヲ制限スル趣旨ノ規定ニアラザルガ故ニ、公訴提起前、予メ弁護人ヲ委任シテ弁護準備ヲ十分ナラシムルト共ニ、被疑者ニ対スル過当ナル攻撃ヲ防禦スル為其ノ権益擁護ノ事務ヲ委任スルコトヲ得〔ベシ〕」（長崎控判昭八・一〇・九新聞三六一九・五(旧)）。

当事者主義の歩を進めた現行法のもとでは、弁護人による援助は一段とその必要性を増した。起訴前における弁護人選任も、単に法的な可能性にとどまってはならず、被疑者の権利として実効あるものでなければならない。法規および判例のこの点に対する関心については、節を改めて若干の考察を加えることとしよう。なお、身体の拘束を受けている被疑者と弁護人との接見交通に関する法規判例も右の点に関連して重要である(後出一二六頁以下参照)。

二　「弁護人を依頼する権利」の告知およびその実現

選任権の保障を一層実質的なものとするために、現行刑訴は、捜査機関(被疑者を逮捕し、またはこれを受け取つた司法警察員、二〇三。同じく検察官、二〇四)、または司法官憲(被疑者を勾留する裁判官、二〇七、七七。被告人を勾引する裁判所、七六。同じく勾留する裁判所、七七。公訴の提起を受けた裁判所、二七二)が、被疑者・被告人に対して、「弁護人を選任することができる旨」(被告人に対しては、「自ら弁護人を選任することができないときは弁護人の選任を請求することができる旨」をも併せて)を、告知しなければならないものとしている。この告知義務が、憲法三四条前段、および同三七条三項前段の趣旨に添つて設定されていることは疑いを容れないであろう。ただ、これが憲法の直接の要求だとまでいえないことは、次の【32】の示唆するとおりである。

【32】「所論憲法上の権利は被告人が自ら行使すべきもので、裁判所、検察官等は被告人がこの権利を行使する機会を与え、その行使を妨げなければいゝのである」(最判昭二四・一一・三〇刑集三・一一・一八五七(旧))。

したがつて、裁判所・検察官等に告知義務の違反があつたからといつて(ことに、告知した旨の記載が記録上不充分だからといつて)、ただちに憲法違反と主張することはできない。しかし、むろん両者が無関係なわけではない。告知義務の履行の有無は、被告人・被疑者に対し「権利を行使する機会を与え、その行使を妨げな(かつた)」かどうかを判断するための重要な資料となり得る。とくに、被疑者については、身柄の拘束によつて「人身の自由」を奪われるだけでなく「防禦の準備」に困難を増す点が大きいから、「告知を受ける権利」も充分尊重されなければならない。その意味で、次の判例のうち、告知の有無と記録の記載との関係を問題にした【33】および【34】の前段はともかくとして、【34】の後段の考え方には疑問の余地があると思われる。

【33】　「警察官に対する被告人の弁解録取書によれば、被告人に……弁解の機会を与えた際に、警察員は『弁護人を選任することができる旨告げ』たと記載されているのであるから、右告知は一応なされたものと認められる。右記載が印刷の文言で、あるからといつて、直ちに右告知の事実がないとは言うことができない」(最判昭二五・一二・二五刑集四・一二・二四八一)。

【34】　「司法警察員が、被告人を逮捕した当時、被告人に対し弁護人を選任することができる旨を告知したと認めらるべき資料が本件記録上、存しないこと所論のとおりである。しかし、それは、原審において、弁護人がその点を争わないので、検察官もその告知の記載があるとみられる弁解録取書の取調請求をしなかつたため、それが記録に編綴されていないのに過ぎないことが窺われる。されば、記録上その資料がないとの一事を以て、所論のように、刑事訴訟法第二〇三条所定の告知をしなかつたと断ずるを得ない。

仮に、所論のように、右の告知をしていなかつたとしても、それがため、直ちに、被告人の司法警察員に対する供述調書がその証拠能力を失うものではない」(仙台高判昭二七・六・二八特二二・一三八)。

このような告知を受けた被疑者・被告人については——身柄を拘束されているのだから——拘禁者の側で選任に協力する義務を定めておく必要がある。法は、拘束を受けている被告人が、「裁判所又は監獄の長若しくはその代理者」に、弁護士または弁護士会を指定して選任の申出をしたばあいには、これらの者は、指定された弁護士または弁護士会にその旨を通知すべきものとし(刑訴七八)、これを逮捕された被疑者にも準用した(刑訴二〇九)。次の【35】は、被疑者からの申出を受けた捜査係主任が所定の通知を怠つたものと認定し、逮捕中の自白の証拠能力を否定した珍らしい事例である。

【35】　「以上の証拠から考えると、被告人が捜査係主任Mに弁護士の依頼を申し出たときに大和高田市のS弁護士といつたであろうことはおよそ明らかであつて、右M……(は、高田警察署へ一度は電話連絡したのだが申出のあつた氏名が不正確だ

つたため、結局S弁護士に通じなかつたといつているが、ほんとうに電話連絡をしたかどうかも」いささか疑問があり、少なくとも再度の連絡をしなかつた点においては、同人に重大な過失があつたものと認めざるをえない。そもそも憲法第三四条によつて保障される弁護人に依頼することのできる権利は、……逮捕の場合においては、司法警察員又は検察官が被疑者の指定した弁護士にその選任の通知をすることによつて確保せられるものであるところ、前記の経緯から判断して、本件の場合、この点において被告人の権利は全く無視されたものといつても過言ではない。……前記供述調書は、被告人の憲法により保障された権利を侵害し、かつ被告人の自白を得ることを唯一の目的とする身体の拘束の下に作成されたものであつて、その取調の過程において被告人が不当に心理的な影響を受けるおそれのあつたことが十分に推察されるのであり、右供述調書の任意性については疑いを抱かざるをえない」(大阪高判昭三五・五・二六判時二二八・三四評釈、伊達・法律のひろば一三巻一〇号)。

右判文のうち、終りの方で拘束の「目的」について説示しているが、それは、本件では被疑者が自白しなかつたために逮捕したと見られる事情があり、かつ、逮捕後、被疑者は即日自白し、二日後に釈放されたという事実が加わつているからである。なお、刑訴二〇九条による準用のばあい、刑訴七八条の「裁判所」にあたるのは何かという問題があるが、【35】では、「司法警察員又は検察官」と解釈されている。正当であろう(団藤・条解三九七頁参照)。

以上のような規定はあつても、身柄の拘束を受けた者にとつて、適時の弁護人選任に事実上困難が多いことは否定できない。そこで、被拘束者以外の弁護人選任権者(刑訴三〇II)に対して拘束開始の事実を通知することにすれば、とくに拘束の初期における弁護人選任権を強化充実させることができよう。

しかし、現行法がそこまで要求していないことは、次の【36】のいうとおりである。

【36】「刑訴応急措置法第三条の被疑者の弁護人選任権は、旧刑訴第三九条第二項（ほぼ、現行法三〇条二項にあたる）所定の者についても認められていることは所論のとおりであるが、それだからといつて、所論のように、刑訴応急措置法の解釈

上、これらの者に対してまで、被疑者が勾留された事実並びに弁護人の選任権ある旨を通知しなければならない義務を裁判所に課しているものとは到底解することはできない」（最判昭二四・一二・二八刑集三・一二・二二三〇（旧））。

【36】の上告論旨は、いまのところでは、まず現実性のない主張である。しかし、将来、「文明水準」（"civilized standard" in McNabb v. U.S., 1943）の向上にともなつて、これが認められるようにならないとは限らない。戦前の「違警罪即決例」にも、「留置シタル……旨ヲ通知スベシ」という規定（同例一〇条の二）の追加を見た歴史があることを想起しておくべきであろう。

三　選任権者

弁護人を選任することができるのは誰か。旧々刑訴は、被告人本人に限つたが（旧旧刑訴一七九）、旧刑訴で「被告人ノ法定代理人、保佐人、直系尊属、直系卑属及配偶者並被告人ノ属スル家ノ戸主」にも独立して弁護人を選任する権利が与えられ（旧刑訴三九Ⅱ）、さらに現行法は、被告人・被疑者と右の関係にある者（「戸主」は当然除外して）のほか、被告人・被疑者の兄弟姉妹を加え、一段と選任権者の範囲を拡げた（刑訴三〇Ⅱ）。規定としては間然するところがないともいえよう。しかし、このような行き方は、もともと選任の方式の厳格さ（後出六一頁以下参照）と無関係ではない。被告人・被疑者本人が積極的に反対しないかぎり広く選任を認めるということにすれば、本人が無能力者であるような特殊のばあいは格別、一般には「選任権者」を定めたり、その範囲を拡大したりする必要もないであろう。次の二つの判例では、選任権者でない者による選任が――被告人は適時に異議を述べなかつたにかかわらず――無効とされたため、結果的には被告人の利益に帰しているが、それ自体望ましいことではないとともに、このような厳格さは、弁護人選任権の行使に制約を加え、かえつて被告人――とくに拘禁の初期における被疑者――に不利益をもたらすおそれがある。解釈の緩和が必要なのではあるまいか。

【37】「職権をもつて原審の記録を調査するに、弁護士Oは、被告人の妻Hから弁護人に選任された旨の書面を同女と連署して原審に差し出した上、第三回公判期日に出頭しなかつた以外は、各公判期日に出頭し、被告人の為に訴訟行為をなし、これに対し被告人は何等異議を述べていないことを窺うことができるけれども、当審が取り調べた〔証拠によると、被告人にはHという妻はなく、内縁の妻Kがいるだけであり、かつ前記選任届に署名したのは右Kではないと解される〕……ので、当審に至りて未だに弁護士Oに対する被告人の授権を証する書面の提出なき本件にありては、原審における訴訟行為は弁護人なくしてなされたものといわなければならない。しかるにおいては強制弁護事件である本件にありては、既に刑事訴訟法第二八九条の規定に違背して訴訟手続がなされたものというべく、この違法は原判決に影響を及ぼすこと明らかであるから、原判決はこの点において破棄を免かれない」（東京高判昭二五・一〇・四特一二・六二）。

【38】「原審は、弁護人Aの立会の下に、公判における審理を行い、判決をしているのであるが、訴訟記録中の弁護人選任届によれば、A弁護人は、被告人の叔父Bによつて選任されたものであることが明らかである。刑事訴訟法第三〇条第二項には、被告人以外の弁護人選任権者を特定して居り、被告人の叔父は、これに含まれないことは疑を容れない。そうであるから、被告人の叔父Bによつて選任されたA弁護人は、被告人の適法な弁護人の立会ではないこととなり、従つて、本件はいわゆる必要的弁護事件であるに拘わらず、弁護人の立会なくして、公判の審理をしたものであるというの外はない」（名古屋高判昭二九・一一・三〇高裁特報一・一二・五〇七）。

「内縁の妻」に選任権があるかどうかは、【37】では必ずしも明らかでないが、次の【39】は、選任権がないこともちろんとした。事案は、内縁の妻の選任した弁護人による控訴申立を棄却した決定に対する異議申立である。東京高裁は、これを棄却して、次のように述べた。

【39】「記録によれば、Kは被告人の内縁の妻であることは明らかであり、同女が被告人のため弁護人を選任する権限のないことはいうまでもないから、同女のなしたT弁護士の弁護人選任は不適法で〔ある〕」（東京高決昭三五・六・二九東京高時報一一・六・刑一七五）。

四　被選任者

弁護人として選任される者を原則として「弁護士」に限るのは、旧旧刑訴以来の一貫した方針である（旧旧刑訴一七九、旧刑訴四〇Ⅰ、現刑訴三一Ⅰ）。弁護士は、通常、憲法のいう「資格を有する弁護人」にあたるといえよう（平野・刑訴（法律学全集）七五頁）。弁護士に限るという原則の例外として、いわゆる特別弁護人の制度も認められているが、その許容範囲は次第に縮減されてきた（旧旧刑訴二八三Ⅱ、上告審での弁論不許。旧刑訴四三〇、上告審での選任不許。現三一Ⅱ・三八七・四一四、上告審・控訴審・高裁における一審での選任不許。地裁でも単独選任不許）。

弁護士になるのには、厳格な要件が法定されており、一定の資格を取得した上で、さらに弁護士名簿に登録されなければならない（弁護士法参照）。これらの要件を欠くときは、その選任は無効である。次の判例中、【40】は、登録を取り消したばあい、【41】は、弁護士を僭称するにせものであったばあいに関する。

【40】　「弁護人Iハ大正一五年五月一五日弁護士登録ヲ取消シタルモノナルコト顕著ナル事実（大正一五年五月二四日官報掲載）ニ属シ、弁護人タル資格ハ弁護士登録ノ取消ニ因リ当然消滅スルガ故ニ、第一審裁判所ガ同人ニ対シ昭和三年三月七日ノ第一回公判期日ノ召喚状ヲ発送セザリシハ正当〔ナリ〕」（大判昭六・四・九刑集一〇・一二一（旧））。

【41】　「以上の各証拠を綜合考察すると、原審第二回公判期日に被告人の弁護人として出廷した自称弁護士Oは、第二東京弁護士会所属弁護士であると称しているけれども、同会所属弁護士Oとは……全く別人であることが明らかで……弁護士の資格を有しない偽者であることを推認し得られる。してみると原審第二回公判は弁護人なくして開廷審理したこととなり、刑事訴訟法第二八九条第三一条一項の規定に違反し、訴訟手続に法令の違反があること洵に明白である」（広島高岡山支判昭二六・九・二七特二〇・一二三）。

被選任の適格性については、以上のほか、なお二つの問題に触れておかなければならない。第一は、利害の相反する数人の被告人の弁護をすることが許されるかという問題である。国選弁護のばあいは、かような選任は違法であり、公判手続が無効になる（後出一一八頁以下参照）。私選弁護のばあいも、むろん望ましいことではなく、「弁護士倫理」の規定によって禁止されている（倫二二Ⅰ、前出四三頁参照）。しかし、訴訟法上の効力は、国選弁護のばあいと同じように厳格な解釈をする必要はないであろう。次の【42】は、この趣旨を判示したものである。

【42】「被告人Sとその余の被告人両名との間に利害相反の関係が認められるにしても、原審において各被告人は弁護士Yを共同の弁護人に選任し各自の訴訟行為を同弁護人に委任しているのであるから、……偶々同弁護人の主張や立証が被告人Sに不利益で他の被告人に有利に傾くことがあつたとしても、これが為め被告人Sに弁護人を附さないで公判手続を続行したこととなるものではない」（名古屋高金沢支判昭二七・六・一三刑集五・九・一四三二）。

第二に、弁護人が被告事件と直接の関係を有するときは、いわゆる弁護人除斥の問題を生ずる。共犯者として起訴されたばあいに、弁護人としての適格性が疑わしくなるのは当然であるし、証人となったばあいも疑問の余地がある。とくに、検察側の証人として喚問されたばあいは、もはや被告人との信頼関係は維持し難いであろう（それ故、平野・刑訴（法律学全集）一九七頁は、弁護人を証人として喚問するのは、やむをえないときに限るべきだと説く）。また、共犯者や被告人側の証人のばあいは、検察側で釈然としないものがあろう。もっとも、実際に問題となるのは、特別弁護人についてであるから、裁判所の許可権の適切な行使に期待すればよいと思われる。したがって、ただちにすべてを否定しておく必要はない。次の【43】は、弁護人の証人適格という形で、問題を肯定している。

【43】「特別弁護人ト雖之ヲ証人トシテ訊問スルコトハ法ノ禁ズルトコロニ非ザルガ故ニ、予審判事ガ所論特別弁護人Mヲ証人トシテ訊問シタルハ不法ニアラズ」（大判昭二・一〇・四刑集六・三六七(旧)）。

五　弁護人の数の制限および主任弁護人

弁護人の数の制限および主任弁護人の制度は、恒久的な制度としては現行法がはじめて規定したものであるが、このような構想は早くから存在した。すでに明治三四年の刑訴改正草案の中に、弁護人は三人を超えることができないという規定が見出される（同草案一六二）。また、昭和九年の司法制度改善に関する司法省諮問事項には、その第二〇として、「刑事弁護ニ付キ代表弁論ノ制ヲ設ケ又ハ弁護人ノ数ヲ制限スルノ要ナキカ」という問が含まれている。この諮問に対しては、当時の在野法曹からは一致した反対回答が寄せられたが（日本弁護士連合会編・日本弁護士沿革史一八七頁参照）、昭和一六年以後の相次ぐ戦時立法では、弁護人の数を二人以内に制限するところまでいった（国防保安法三〇、戦時刑事特別法二〇等）。現行法の定める数の制限は、被疑者については原則として三人以内（特別の事情があれば増加し得る。刑訴規二七）、被告人については「特別の事情」があるときに限り裁判所の決定で三人にまで抑える（刑訴三五、刑訴規二六）とするにとどまるから、前記戦時立法のように極端なものではないし、またその理念はこれと全く異なり、弁護権の抑圧という意味はなく、もっぱら手続の合理化を目指している。この点は、主任弁護人の制度についても同様である。ただ、裁判所にとって便利な制度であるだけに、その運用にあたっては、弁護人との間に無用の紛争を惹き起すことがないよう慎重な配慮が望ましい。

（一）　数の制限　　数の制限について、次の【44】は、制限決定には理由を附する必要がない旨を判示して、原決定を適法とするとともに、みずからは、刑訴三五条にいう「特別の事情」を認めた理由をかなり詳しく説明している。

【44】「記録によれば、原審は昭和二七年八月二三日、所論の通り『本件について弁護人の数を四名に制限する』旨の決定を為し、同日該決定を関係人に告知したこと及び該決定には理由が附されていないことをそれぞれ肯認し得るけれども、かゝる決定は、その性質上独立して上訴の申立をすることが許されない裁判に属し、従つて、刑事訴訟法第四四条により、理由を附する必要がないものであることが明白であるから、前記の決定に理由を附してないこと自体は何等非難に値せず、また、当時弁護人の数を制限するについて、刑事訴訟規則第二六条に定める特別事情の認めるに足るものがあつたか否かについて審査するに、記録に徴すれば、(一)本件審理の当初より被告人に対しては四名の弁護人が選任されて居り、防禦権の行使には遺憾の点が全くなかつたこと、(二)第五回公判終了後、さらに新に一名の弁護人より弁護届の提出があつたこと、(三)新な弁護人の選任は、被告人の意思によるものでなく其の親族によつて為されたものであつたこと、(四)此の上弁護人を増加することに依り、記録の閲覧、謄写等のため訴訟手続の遅延するであろうことが予見されたこと等の諸事情を看取するに足り、これ等各事情を綜合すれば、当時の状況は、叙上刑事訴訟規則に所謂弁護人の数を制限すべき特別の事情ある場合に該当すると解し得る」(名古屋高金沢支判昭二八・七・一八刑集六・一〇・一二九七)。

弁護人の数の制限をめぐつて裁判所と弁護人側とが激しく対立した事例として、いわゆる砂川事件の上告審手続がある。東京地裁の無罪判決(昭三四・三・三〇言渡)に対して検察官から飛躍上告の申立があり、事件はいつたん最高裁判所第一小法廷に係属した。弁護人選任書を提出した弁護士は二八七名(一審では六四名、実際に弁論したのは約二〇名)に上り、裁判所側と公判日程の協議のための会見を行なおうとした矢先に、第一小法廷は、【45】の決定をして、弁護人の数を二一名に限つた(被告人の数は七名)。

【45】「右の者等に対する日本国とアメリカ合衆国との間の安全保障条約第三条に基く行政協定に伴う刑事特別法違反各被告事件につき、当裁判所は、本件の審判を迅速に終結せしめる必要上、刑訴三五条刑訴規則二六条により各被告人の選任すべき弁護人の数を三人に制限する。但し被告人全員に対する弁護人総数二一人の範囲内において各被告人が互に他の共同被告人の選任した弁護人を自己の弁護人に選任するときは、三人を超えることができる」(最判昭三四・四・二八判時一九五・五)。

右決定を不服とした弁護人団は、特別抗告を申し立てたが、六月一一日第一小法廷で棄却され、なお、事件は同日大法廷に送付された。弁護人団は、第一小法廷の裁判長であつた斉藤裁判官に対して、六月一六日忌避の申立をした。大法廷は、次の【46】でこれを却下し、数の制限をしたのは不当でなかつたと述べた。

【46】「本件弁護人の数の制限は、本件各被告事件が刑訴規則二五四条の跳躍上告にかかる事件であつて同二五六条により優先審判を必要とするものと認められるところ、右事件が第一小法廷に係属中、同小法廷の合議により、本件の審判を迅速に行うため刑訴三五条、刑訴規則二六条に基きなされたものであるから、被告人の弁護人選任権又は弁護人の弁護権を不当に制限したものということはできない」（最決昭三四・六・二五（大）法廷）判時一九〇・四）。

その後も、田中裁判官に対する忌避、右【46】の決定に対する異議と争いが続いたが、裁判所側と弁護団側との交渉も進み、結局弁護団側では実際に弁論を行なう弁護人の数を自主的に制限し、裁判所側ではさきの制限決定【45】を取り消して、ようやく審理が軌道に乗つた。次の【47】が、大法廷による右取消決定である。「審判を迅速に終結せしめる必要上」行なわれた数の制限が、以上のような紛糾を派生したのは、法の運用の困難を示したものと評すべきであろう。

【47】「右の者等に対する日本国とアメリカ合衆国との間の安全保障条約に基く行政協定に伴う刑事特別法違反各被告事件につき、すでに公判期日が本年九月七日から一八日まで六回にわたつて行うことに指定され、かつ弁護人は、答弁書を本月五日までに提出し、公判期日に弁論をする弁護人の数を自主的に二五人以内に制限する旨申し出たので、本件の審理を迅速に終結せしめる見込がついた。よつて刑訴三五条但書の特別の事情がなくなつたものと認め、昭和三四年四月二八日付第一小法廷の決定による弁護人の数の制限を解く」（最決昭三四・八・四（大）法廷）判時一九五・四）。

（二）　主任弁護人

(1)　主任弁護人の意義

主任弁護人（および副主任弁護人）は、弁護人に対する通知または書類の送達について他の弁護人を代表する（刑訴規二五Ⅰ）。また、他の弁護人は、一定範囲の訴訟行為について、裁判長の許可および主任弁護人の同意を要求される（刑訴規二五Ⅱ）。これらの規定によつて、弁護人多数の事件における手続の円滑な進行が期待されている。旧法時代にも、被告人を代理する関係においては弁護人各自がこれを代理するものとされ、したがつて、弁護人が数人あつても書類の送達はその一人になせば足りると解されていた（大判昭一三・三・一〇法学七・八一五（旧））。しかし、公判期日の召喚の如きは、むろん各弁護人にあててしなければならず、召喚洩れを理由として上訴審で破棄されることも稀ではなかつた（後出一五〇頁以下参照）。現行法のもとでは、主任弁護人の指定が有効に行なわれたのちは、公判期日の通知も右主任弁護人にあててすれば充分である。しかし、指定があらかじめ行なわれていないばあい、または指定は行なわれたが無効のばあいには、他の弁護人に対する通知洩れは依然として問題となる（後出【159】、【160】参照）。

(2)　主任弁護人の指定　主任弁護人の指定（およびその変更）は、被告人が単独で、または全弁護人がその合意によつて、これを行なうが（刑訴規一九）、被告人側で指定しないときは、裁判長が指定しなければならない（刑訴規二一）。しかし、規則も裁判長が指定を行なうべき時期までは定めていない。次の【48】は、必要と認める時期でよいとし、また【49】は、指定を行なわないままで審理を終えたばあいも判決に影響しないとする。制度の趣旨にかんがみ、いずれも正当であろう。

【48】　「法規には、被告人若しくは全弁護人又は裁判長において主任弁護人を指定すべき時期についての定がないから、被告人又は全弁護人において弁護人選任の届出の際主任弁護人を指定しないからと云つて直ちに裁判長においてこれを指定しなければならないものではなく、訴訟手続の進行過程において、主任弁護人の指定を必要とする時期になお、被告人又は全弁護人よりその指定がなかつたとき、裁判長がこれを指定すべきものと解するを相当とする」（東京高判昭二五・一〇・一九特一五・九）。

【49】「記録を調査すると被告人Nは原審において他の相被告人等と同じく本件公職選挙法違反被告事件につき弁護士Iや弁護士Yとを弁護人に選任していたところ、原審第一回公判期日において原審裁判官は被告人Nを除く他の相被告人等の主任弁護人をIと指定していることが認められるにかかわらず、被告人Nの主任弁護人の指定があつたことは記録上認められないのである。しかし、原審第一回乃至第五回各公判調書によると、被告人Nの弁護人のうちIは、公判期日において、被告人Nの主任弁護人の指定を受けたもののように、他の相被告人についてしたと全く同様に被告人Nのため主任弁護人である地位に基く被告事件に対する陳述、書証の同意不同意、証人尋問、最終陳述等をしていて、終始主任弁護人としての訴訟行為をしていることが認められるのであるから、……被告人Nが特に所論のような防禦のために不利益を受けたものとは認められない。従つて、被告人Nについて主任弁護人の指定がなかつたとの原審訴訟手続上の違背が、判決に影響を及ぼすものとは到底認められない」（東京高判昭二九・三・三一刑集七・三・三五五）。

主任弁護人の指定またはその変更が行なわれたばあいには、所定の関係者に対する通知が必要とされている（刑訴規二二）。しかし、この点の法令違反があつたとしても、判決に影響を及ぼすばあいは稀であろう。【50】は、全弁護人の合意による指定変更のばあいであるが、裁判長の指定のばあいもほぼ同様だと思われる。

【50】「昭和二五年二月一〇日全弁護人の合意によりTが主任弁護人に指定変更せられたこと、及びこれに関する刑事訴訟規則第二二条の通知が為されたと認められる証拠がないことは所論の通りである。しかし、かかる主任弁護人の変更についての通知を欠いたことによつて被告人の防禦に如何なる不利益をも来したとは認められず、被告人もこれに対し少しも異議を述べていないのであるから、この種の手続上の違背は判決に影響を及ぼすものとは認められない」（東京高判昭二六・八・一四刑集四・一〇・一二一三）。

主任弁護人に事故があるばあいには、裁判長は副主任弁護人を指定することができる（刑訴規二三）。「事故」は永続的なものに限らず、主任弁護人が予定の公判期日に出頭しなかつたばあいを含むであろう。したがつて、次の【51】がいうように、裁判長は副主任弁護人指定権を行使してよい。ただ、このばあいは、以後の訴訟関係が混乱しないよう前条の「通知」をとくに励行する必要がある（刑訴規二三Ⅳ）。

【51】　「主任弁護人の制度は、多数の弁護人がある場合において、弁護人に対する通知又は書類の送達について他の弁護人を代表せしめるためと、弁護人の訴訟行為を統制するためのものであるから、主任弁護人が公判期日に出頭しない場合には、刑事訴訟規則第二三条により、裁判長は他の弁護人のうち一人を副主任弁護人に指定して訴訟を進行することができる」（大阪高判昭二七・五・二七刑集五・七・一〇六六）。

なお、主任弁護人の欠席のばあいも、出頭した弁護人が一人だけであれば、副主任弁護人指定の手続をとる必要はない。この点に関して次の【52】がある。

【52】　「主任弁護人以外に尚数人の弁護人ある場合に於ては、主任弁護人の出頭がないと、……裁判長は必ず刑事訴訟規則第二三条の規定に基き副主任弁護人を指定しなければならないのであるが、主任弁護人以外に一人の弁護人あるに止まる場合に於ては、……出頭した弁護人は当然主任弁護人と同一の権限を行使することができるものと謂うべく、従つて裁判所は特に副主任弁護人を指定しなくとも適法に公判審理を進めることができる」（名古屋高判昭二七・七・二一刑集五・九・一四七七）。

【52】は、主任弁護人以外に二人以上の弁護人があるときは、現実に出頭した弁護人は一人であっても、なおこの弁護人を副主任弁護人に指定しなければならないとする趣旨を傍論として含んでいるが、とくに区別する理由はないと思われる。

(3)　主任弁護人の同意　　主任弁護人でない弁護人が、申立、請求、質問、尋問または陳述をするためには、原則として裁判長（または裁判官）の許可および主任弁護人（または副主任弁護人）の同意を要する（刑訴規二五Ⅱ）。しかし、この規定は、本来各弁護人が有している権限を、訴訟の円滑な進行のために主任弁護人の統制下においたのであるから、主任弁護人が出頭していない公判期日においては（副主任弁護人の指定の点をしばらく別論とすれば)、各弁護人が同意による制限なしに活動できることは当然である。次の【53】の判旨は是認されてよい。

【53】「論旨によれば、右の原審第三回公判期日に、主任弁護人S出頭せず、同公判期日における検察官の証拠調請求に関し、弁護人Tが述べた、検察官の提出にかかる前記各書面を証拠とすることに同意し、証拠調に異議はない旨の陳述は、主任弁護人の同意なくしてなされた陳述であるから無効の陳述であり、従つて、右各書面を証拠として引用したのは違法である、というのであるが、……公判期日に、たまたま主任弁護人が出頭しなかつたからといつて、その公判期日に出頭した他の弁護人の陳述その他各種の訴訟行為をことごとく無効と解すべき合理的な根拠は、これを発見することができない」(福岡高判昭二五・一一・二一特四・一六)。

主任弁護人が出頭していて、その同意がなかつたばあい、他の弁護人の訴訟行為は効力を有しないか。次の【54】は、明瞭にこれを否定する。

【54】「刑事訴訟規則第二五条第二項本文は、法廷の秩序維持、訴訟手続の円滑な進行のための規定であつて、右同意の欠缺により当該訴訟行為の無効を来すべきものではない」(東京高判昭二六・八・三〇刑集四・一三・一七六九)。

この事案では、主任弁護人が他の弁護人の行なつた証人に対する質問にとくに不同意を表明したわけではなく、むしろ「K主任弁護人が右発問の際在廷しており、しかも右発問につき何等かの措置を採つたと認めるに足る事跡のないことに徴し、該発問については主任弁護人の同意を得ていたものと認めるのが相当」なばあいであつて、弁護人による控訴趣意が、「ムシのいい主張」(後出六四頁参照)にあたる適例である。したがつて、論旨をしりぞけたのはむろん正しい。しかし、「同意」の有無が訴訟行為の効力に全然影響しないというのは疑問で、他の弁護人の訴訟活動が主任弁護人の明らかな不同意を押し切つて行なわれたようなばあいには——裁判長が許可を与えるべきでもないが——、その行為は無効だと思われる。そう解しなければ、別の判例が「被告人に数人の弁護人ある場合に於ては、公判廷その他に於て往々にして各異なる申立、請求、質問、尋問又は陳述等を為し、裁判所をして、その何れに依るべきかに就いて疑義を生ぜしめ、訴訟手続の円滑進行に支障を生ずる惧れがあると共に、延いては被告人の不利益を招来することもあり得る」（名古屋高判昭二七・七・二一刑集五・九・一四七七）と述べていることと不調和に陥るであろう。

(4)　被疑者の段階と主任弁護人制度　　主任弁護人の制度は、起訴前においても適用があるか。勾留理由開示手続で裁判官と弁護人との対立を招いた前出【26】、および【27】の事例では、右の点をめぐる見解の相違が対立の一因となつた。主任弁護人に関する刑訴三三条は、「被告人に数人の弁護人があるとき」と規定しており、「被告人」と「被疑者」とを使い分ける法文の体裁からみると、三三条は被疑者段階では適用されないという見解も、文理的には十分成り立つ。おそらく、立法者は、被疑者の弁護人については数の制限が厳しいから、ことさら主任弁護人を定める必要はないという考えに支配されたのであろう。しかし、主任弁護人の制度が、本来合理的なものである以上、起訴前においてとくにその適用を排斥する理由はない。したがつて、少なくとも三三条（およびこれに伴う規則一九条以下）を類推することは可能だと解すべきである。なお、【27】では、裁判官が主任弁護人を指定したのは起訴前であつたが、勾留理由開示期日が開かれたときには、すでに公訴が提起されていた。勾留理由開示手続であること自体に三三条の適用を排斥するような特殊性はないから、その意味では、問題は解消していたともいえよう。しかし、主任弁護人制度の運用が、弁護人の活動の合理的な規整にとどまらなければならないことは、起訴の前後にかかわりなく当然のことである。

六　選任の手続

弁護人選任の方式は、被疑者については法定されていないが（ただし、刑訴規一七参照）、被告人については「弁護人と連署した書面」を差し出すことが要求されている（刑訴規一八）。これは、旧刑訴が創設した規定で（旧四二）、理由書は、「手続ヲ鄭重ニシ過誤ナカラシメムコトヲ期スルカ為ナリ」と説明している。選任の有無が明確であることはむろん重要であるが（通知、送達、主任弁護人の指定等についての「過誤」を生ずるおそれがある）、公判廷であれば口頭の選任を認めてもなお確実を期することができるから、書面主義を固執する理由は少ない。解釈論としても、規則一八条は原則的な方式を定めたに過ぎないと解する余地がある（平野・刑訴（法律学全集）七七頁）。

判例も、弁護人選任書の方式上の不備は深くとがめず、実質的に弁護活動が遂行されている以上選任は有効とする態度をとっている。連署の意義に関する【55】ないし【59】、日付、宛名等に関する【60】、【61】は、若干ニュアンスの違いはあるが、結論としてはすべて軌を一にしている（なお、刑訴規六〇・六一参照）。

【55】「被告人ノ署名捺印ノ外弁護人ノ署名存スル以上、偶々其ノ捺印ヲ欠クノ不備アルモ、該弁護届ヲ目シテ無効ノモノト解スベカラズ」（大判昭七・一二・一四刑集一一・一八五三(旧)）。

【56】「選任届における被告人……の署名は自署でな〔く〕……弁護人Wの代書したものであると認められ……〔しかも代書事由の〕附記がしてないから……〔法令に〕違反する瑕疵があることは認めざるを得ない。然し、右選任届は前示のように弁護人Wが代書したものであり、原審公判調書によると弁護人Wは何等の異議なく原審公判に立会い弁論をしており、被告人からも何等の異議がなかつたのであるから、右の瑕疵があるために所論弁護人選任届を無効と断ずることはできない」（最判昭二六・六・

八刑集五・七・一二五七(旧))。

【57】「原審記録によれば、弁護人Mは被告人と連署して提出すべき弁護人選任届に記名捺印していることを確認しうるのであるが、刑事訴訟規則第一七条第一八条のいわゆる「連署した書面」とは氏名を自署したもののみでなく記名捺印したものも包含するものと解するを相当とすべきである」(仙台高判昭二六・一〇・三一特二二・八二)。

【58】「所論弁護人の選任届に、所論の(被告人の表示が記名、または弁護人の表示が記名という)ような瑕疵があつても、右弁護人が異議なく公判に立ち会つて弁論し、被告人にも異議がなかつた場合には、弁護人選任届は無効でないことは当裁判所の判例――【56】――とするところである」(最決昭二八・二・一九刑集七・二・二四二、評釈、井口・刑評一五巻七事件)。

【59】「所論弁護人選任届……には弁護士Mという記名印を押捺され、その名下に同弁護士の押印が存するに過ぎず、弁護人の署名がないことは所論のとおりで……規則第一八条に違反する……ことは明らかであるが、その違反は未だ弁護人選任を無効とするものでは……ない」(東京高判昭三〇・八・三〇刑集八・六・八九九)。

【60】「原審における所論弁護人の選任届に年月日の記載のないことは所論のとおりである。しかし、かかる年月日の記載がないからといつて、それだけでこれを無効とすべき理由はない」(最判昭二五・二・一六刑集四・二・一九三(旧))。

【61】「被告人Sと弁護人M両名連署の弁護人選任届は、所論のように、宛名の記載はないが、原審の同弁護人選任届に押捺した受附印により昭和二三年一月三一日原審に提出されたものであることは明らかであるし、又、弁護人選任届の日付中、所論のように、訂正され且つ加入した点があり、しかも訂正加入した部分の筆跡が他の部分の筆跡と異つているとしても、それだけで右弁護人選任届が無効のものであるとはいえない」(最判昭二六・八・九刑集五・九・一七五八(旧))。

弁護人選任書を欠いているばあいの取扱になると、さすがに高裁判例が分れている。【62】は選任無効、【63】、【64】は選任有効と結論する。

【62】「記録を調査するに、……所定の者より弁護人を選任し、その旨弁護人と連署せる書面を刑事訴訟規則第一七条又は第一八条に従つて差し出した形跡を存していない……ところ、記録……には弁護人Yの……原審に宛てて提出した公判期日調書が編綴せられておるけれども、……〔それがどの被告人のためであるかは〕……知るに由なく、原審第一、二回公判調書に弁護人が訴訟行為をなした旨の記載を存するけれども〔その氏名は〕……明らかでなく、又原審第三回公判調書には弁護人弁

護士Yが出廷して訴訟行為をした旨の記載はあるけれども、右説示のように同弁護人を選任する旨の適式の書面が差し出されていないので、原審は畢竟弁護人がないのに開廷して本件の審理をなし、弁護人にあらざる者をして訴訟行為をなさしめたものというべく、原審のかかる訴訟手続は……全く無効なもの〔である〕」（名古屋高判昭二五・六・一四特一一・六一）。

【63】「記録に徴すれば、原審に於ては、其の第一回乃至第三回の各公判期日に弁護士Nが被告人の弁護人として出頭し審理を遂げたのに拘らず、同弁護人の選任届が本件記録中に添綴されていないことは洵に所論の如くであるけれども、右弁護人が原審第一回乃至第三回の各公判期日に出頭して、被告人の為に積極的に防禦の方法を講じ、被告人並原裁判所に於ても之を是認して審理を遂げ、殊に右弁護人に於て原判決が言渡されるや之に対し自ら被告人の弁護人として控訴申立書を提出したことは本件記録に徴し明白であるから、斯の如きは、他に反証の認められない限り右弁護人が被告人から選任され、原審の公判期日に出頭し、之が審理に立会したものと認むるを相当とすべく本件記録を精査するも右弁護人が被告人から選任されたものでないこととの反証は之を一つも発見し得ない。然らば右弁護人が原審公判期日に出頭したことを捉え、所論……のような違法が存するものとも謂い難く、従つて此の点に関する論旨も理由がない」（名古屋高判昭二五・一二・一五特四・六五）。

【64】「記録を調査するに、原審各公判において被告人Tの弁護人としてNが出頭し各種の訴訟行為をしているところ、記録中に右弁護人の選任届が編綴されていないこと所論の通りである。よつて考察するに、……選任届を欠く弁護人の選任は明らかに違法たるを免れないけれども、被告人Tよりの弁護人選任に関する回答書によれば『八月一四日弁護人としてNを選任した』旨の記載があり、同被告人が本件につきNを弁護人として依頼したことはこれを窺うことができ、且つNが高知弁護士会所属の弁護士であることは当裁判所に顕著なところであるから、弁護人選任届を欠く一事を以て直ちに原審の審理自体が無効であると見ることは妥当でない」（高松高判昭二七・一一・二七刑集五・一二・二二三八）。

以上を通観すれば、判例は、単なる弁護人選任手続上の瑕疵に対しては寛大な見解を持しているとも結論できるように見える。大審院時代に、「連署トハ自書ヲ指称シ……単ニ記名捺印ヲ以テ署名ニ代フルコトヲ得〔ズ〕」と説示して記名を排斥した判例（大判昭一六・六・一四評論三刑訴八三(旧)）が支配していたことを考え合わせると、最高裁判所のもとでは、過度の方式性を避ける態度がとられていることは認められてよい。しかし、【55】以下の判例は、原審（又は原原審）における弁護人選任手続の適法性が、いわば事後的に上級審で争われた事案ばかりであつて、被告人側からする選任無効の主張が多分に手前勝手の感を与えている（三宅正太郎氏のいわゆる「ムシのいい主張」。三宅・法官余談四六頁参照）。したがつて、上級審としても、破棄の利益なしとして棄却するのに抵抗を感じないばあいである。これに反して、選任手続の適否が、それに基く手続の進行前にあからさまな問題となるときは、裁判所は必ずしも方式の不備を容認しようとしない。次の【65】、【66】はこのことを示すものである。

【65】「刑事訴訟規則第一七条第一八条……における連署とは、各その氏名を自署するの謂であることはいうまでもないところである。然らば、原審が、氏名の黙秘を正当と認めるに足る特段の事情の認められない本件において、論旨の指摘する氏名を自署していない被疑者としての弁護人選任届或いは被告人としての弁護届を以て、刑事訴訟規則第一七条第一八条所定の方式を遵守しない不適式の訴訟行為として決定を以てこれを却下し、爾後の訴訟関係を明確にするの処置に出でたことは洵に適切の措置といわなければならない。……その氏名を告げることによつて起訴された犯罪が当然に被告人の犯行であることが判明するような特殊の場合を除いては、被告人の氏名を明らかにすることは原則として被告人にとつて不利益な供述になるとは到底考えられないところであり、又公正の精神に反するとも考えられない」（東京高判昭二六・一二・一一東京高時報一・一三刑一九〇）。

【66】「弁護人選任届には被告人がこれに署名捺印しなければならないことは、刑事訴訟規則第一八条、第六〇条によつて明瞭であつて、ここに署名とは氏名を自署する意であることはいうまでもない。ところが、前叙の通り、本件異議申立書に添付の弁護人選任届には「氏名不詳A」「氏名不詳B」「氏名不詳C」との記載があり、これが被告人の氏名でないことは明かであるからこれを被告人の署名と認めるわけにはゆかない。いつたい自分の権利を擁護するために訴訟行為をする場合は、自ら進んで裁判を求めるのであるから、自分が何某であるかを明かにすることは、裁判所に対する手続として当然の筋道といわなくてはならない。然るに被告人等は単に氏名不詳A、B、Cとして指印しているのみであつて、かかる弁護人選任届では被告人が誰であるかこれを特定することができないし、弁護権の存在を確認するに足る資料とは認められないのである。よつて、かかる弁護人選任届は不適法なものであつて、無効なものといわなくてはならない」（札幌高決昭二七・一〇・六刑集五・一二・一九〇四）。

右の二例では、いずれも氏名黙秘のまま提出された弁護人選任書を無効として却下している。しかし、この問題は、被告人・被疑者の弁護人依頼権と黙秘権との交錯する領域に生じているのであって、慎重な考慮を要する問題である。次の最高裁判例を見よう。

【67】「所論は、要するに、被告人等が憲法三八条一項に基づきその氏名を黙秘し、監房番号の自署、拇印等により自己を表示し、弁護人が署名押印した弁護人選任届を、適法な弁護人選任届でないとしてこれを却下し、結局自己の氏名を裁判所に開示しなければならないようにした第一審の訴訟手続、及びこれを認容した原判決は、憲法三八条一項の解釈を誤り、且つ同三七条三項に違反するものであるというに帰着する。記録によれば、第一審において、被告人等は、それぞれ被疑者又は被告人として、所論のような弁護人選任届を提出したが、その届出はいずれも不適法として却下され、裁判所において各被告人のため国選弁護人を選任したところ、被告人等はそれぞれその氏名を開示して、私選弁護人選任の届出をなすに至つたことは、所論のとおりである。しかし、被告人Sを除くその余の被告人等については、いずれも第一審第一回公判期日以降その私選弁護人立会の下に審理が行われているのであり、また被告人Sについても、第一回公判期日は国選弁護人立会の下に開廷され、若干の審理がなされ弁論の続行となつたのであるが、第二回公判期日以降はその私選弁護人立会の下に、証拠調をはじめその他すべての弁論が行われているのであり、しかも、所論弁護人選任届却下決定に対して、被告人の一部からなされた特別抗告も取下げられ、この点については爾後別段の異議もなく訴訟は進行され、第一審の手続を了えたのであつて、被告人等においてその弁護権の行使を妨げられたことは認められない。それ故憲法三七条三項違反の所論は採るを得ない（昭和二四年(れ)二三八号同年一一月三〇日大法廷判決、判例集三巻一一号一八五七頁以下参照）」(最判昭三二・二・二〇(大法廷)刑集一一・二・八〇二)。

【67】は、監房番号の自署および押印によつて被告人を表示した弁護人選任書について、これを無効として却下した一審判決を結論的には維持したが、手続の経過に照らし憲法三七条三項の違反はないとの判断を掲げたにとどまり、問題の選任書の効力に関する直接的な判断は示していない。弁護人を選任する際に被告人の特定はむろん必要であるが、氏名まで開示しなければ特定を欠くことになるかどうかには疑問があり、最決昭二九・一二・二七(刑集八・一三・二四三五)に現れた事案のように、被告人を「戸塚

九郎こと氏名不詳者」（戸塚警察署九号室に拘禁されていたことがあるのでこの名が用いられた）と表示した弁護人選任書が、上告審に至るまで有効と取り扱われた例も見出されるので、判例の帰趨はなお今後に待つべきものがあるといつてよかろう。

七　選任の効力範囲

弁護人選任の効力の範囲に関しては、訴訟手続の広がりを横断的・静的にとり上げるばあいと、訴訟手続の進行に添つて縦断的・動的に観察するばあいとの両面が問題になる。今かりに前者を幅員の問題、後者を延長の問題と呼ぶこととし、順次検討を加える。

（一）　幅員の問題　選任の効力は、事件を単位としてその全部に及び、かつそれ以外に及ばないのが原則である。しかし、これには二つの方向の修正が認められる。第一は追起訴事件のばあいであつて、効力範囲が拡張され、第二は一部選任のばあいであつて、効力範囲は限縮される。

(1)　追起訴事件　選任の効力といわゆる追起訴事件との関係について、積極的な態度を打ち出し、リーディングケースとなつたのは【68】の最高裁判決である。第一審は、甲事件の審理中追起訴を受けた乙事件を併合審理したが、乙事件のために弁護人選任書をあらためて提出させることはしなかつた（甲・乙間には併合罪の関係がある）。乙事件（必要的弁護事件）の訴訟手続は無効と主張した控訴趣意に対して、原審東京高裁は、併合審理した以上、選任権者の側で制限を加えないかぎり、当然に効力が及ぶと判示した（昭二五・一〇・二六言渡）。上告審の弁護人は、【69】、【70】の二判例を引用して、原判決の判例違反を主張したが、最高裁は、これらはいずれも本件に適切でなく、またかりに本件に当るとすれば四一〇条により判例を変更すると述べて、原審の判断を維持したのである。

【68】「原判決は前に被告人のためになされた弁護人の選任の効力は当然その選任後同一被告人に対し起訴される一切の被告事件に及ぶものと断定したのではなく、曩に選任された弁護人の弁護権は被告人その他選任権者において特段の限定を為さない以上同一の機会に追起訴され且つ一つの事件として併合審理された被告事件の全部に及ぶものと解するを相当とすると判断したに過ぎないものであつて、原判決の見解は正当であ〔る〕」（最判昭二六・六・二八刑集五・七・一三〇三、評釈、団藤・刑評一三巻三九事件）。

【69】「一の事件について既に弁護人が選任されている以上、併合された同一被告人の他の事件にも当然その弁護人の弁護権が及ぶ、即ちその弁護人が併合された同一被告人の全事件の弁護人となるという見解もあるかも知れないが、弁護権はその選任行為によつて明示された事件以外には及ばぬと解すべきものであるから、右の見解は当裁判所の認容し得ないところである」（名古屋高判昭二五・一一・二七特四・五一）。

【70】「記録ヲ調査スルニ、Oニ関シテハ甲事件ニ付テハ弁護人選任ノ届出アルモ他ノ二事件ニ付テハ其ノ届出ナク……第一審ハ右三被告事件ヲ併合審理シタレドモ之ガ為ニ弁護人選任書ヲ差出サズ又裁判長ノ選任命令ナキ被告事件ニ付弁護人タルノ資格ヲ取得スベキ理由ナキガ故ニ、Oガ甲事件ニ付為シタル控訴ノミハ適法ナルモ、爾余ノ被告事件ニ関スル本件控訴ハ権限ナキ者ノ為シタル不適法ノモノト為スベキモノトス」（大判昭一〇・二・一八刑集一四・一〇四（旧））。

【68】が、論旨引用の判例は原判決と必ずしも相反しないとした根拠は、【69】のように「選任行為によつて明示された」ばあいは「特段の限定を為（した）」ことになる、また、【70】は三事件が併合罪の関係に立たない事案であるから本件のばあいと異なるということにあつた。第一の点は、実際上疑問であるし（選任書には被告事件名を記載するのが通常だから、せつかくの判例もこれではほとんど役に立たない）、第二の点は、理論上「不可解」の評を免れない（「併合罪」という実体法的な観点を「選任の効力範囲」という手続的な問題の解決に持ち込んだ点で混乱がある。団藤・前掲評釈一九六頁）。しかし、このような難点にもかかわらず、【68】は、弁護人選任という訴訟行為の柔軟な「解釈」を通じて実務上の要請に答えようとしたものとして、大きな意義をもつた。最高裁は、その後間もなく規則を改正して一八条の二を新設し、追起訴されて併合審理を受けるすべての事件については、被告人・弁護人が反対の申述をしないかぎり、弁護人選任の効力が

及ぶことを明らかにした（昭二六・一二・二〇規則改正）。この条文が、私選弁護人に関して規定していることは疑いを容れないが、続く【71】はその趣旨を国選弁護人のばあいにもおし及ぼし、また、高裁判例【72】はこれを「当然の事理」に過ぎないとしている。

【71】「本件のように被告人に対し最初起訴された第一事件（必要的弁護事件）につき国選弁護人が附され更に第二の事件が追起訴され、しかもその追起訴の第二事件も亦必要的弁護事件であつて裁判所がこれを併合審理する旨決定した場合に裁判所が別段の意思表示をせず被告人と右弁護人も何等異議を述べなかつた場合には、第一事件につきされた弁護人国選の効力は第二事件にも及ぶものと解するを相当とする」（最判昭二七・一一・一四刑集六・一〇・一一九九、評釈、前田・刑評一四巻四一事件）。

【72】「ある事件について弁護人が選任されている場合において、他の事件が追起訴されてこれと併合された場合においては、最初の事件に関する弁護人選任の効力が原則として併合された追起訴事件にも及ぶと解すべきことは、条理上当然であつて、この理は、私選弁護人たると国選弁護人たるとにおいて差異のあるべきものではなく、これは、従来訴訟手続において実行されて来たところである。刑事訴訟規則第一八条の二は、従来実行されていたかかる当然の事理を私選弁護について成文化したに過ぎないものであつて、かかる明文によつて始めてかかる効力が認容されたものではない」（東京高判昭二八・八・一〇特三九・八〇）。

ここまで来れば、「追起訴事件」というわくを超えることが残された問題となる。この点について積極的な解決を示したのは次の【73】で、事案は刑訴八条一項により審判が併合されたばあいにかかる。

【73】「本件記録を調査すると被告人に対する傷害暴行被告事件につき昭和二八年四月二五日盛岡地方裁判所に公訴の提起があり、私選弁護人としてKが選任せられ、……右事件の公判審理中のところ、その後右被告人に対する殺人及び強姦致傷被告事件の公訴が旭川地方裁判所に提起せられ、私選弁護人として弁護士Mが選任せられ、右両事件は、併合決定により、本件原裁判所たる旭川地方裁判所で併合審判されたことは明らかである。さて、私選弁護人の選任は、原則として個々の事件についてすべき厳格な要式行為であつて、一の事件についてした弁護人選任の効力が当然同一被告人の他の事件に及ぶことはない。ただ、弁護人を選任した後、同一裁判所に追起訴があつて併合審判される場合は、刑事訴訟規則第一八条の二の特別規定によつて、その選任の効力が追起訴事件にも及ぶのである。従つて、相異なる裁判所に夫々別個に公訴の提起があつて、別個に

審判される場合は同条の適用がない。然しこの場合でも、其の後右両事件につき併合決定があつたときは、該決定発効のときにおいて、右決定後併合審判すべき裁判所に対し併合審判さるべき事件につき追起訴があつたと同様の取扱をなすべき法意と解するを相当とする。蓋し右特別規定が、主として被告人の利益と併合審判手続の円滑な進行を計るために、通常の場合における被告人の意思を推測して規定されたものであることは、同条の規定自体からも容易に推知し得るところであつて、この立法の趣旨に鑑み、右の如く解するを相当とするからである」(札幌高判昭三二・一〇・三一刑集一〇・八・六九六)。

【73】は、規則一八条の二の存在を強調している点では【72】と傾向を異にするが、弁護人選任の効力範囲を広く認めた点で、やはり【68】、【71】、【72】の系列に属するといってよい。しかし、【73】の判示の重点は、原審旭川地裁がK弁護人の存在を無視して手続を進めたのが違法だ(K弁護人へ公判期日を通知せず、また主任弁護人の指定もしていない)として原判決を破棄したところにあり、右に摘録した部分は、――傍論ではないが、――判決理由の一前提に過ぎず、大きな価値を認めるわけにはゆかないであろう。

(2) 一部選任　事件の一部についてだけ弁護人を選任することも、不可能ではない。しかし、これは事件の一部が可分的であり、かつ、この部分についてだけ選任する合理的な理由があるばあいでなければならない(平野・刑訴(法律学全集)七八頁)。遠隔地における証人尋問の立会などは、これに当るといえよう。次の【74】は、受託裁判官による証人尋問の立会について、一部選任が行なわれたものと認めている。

【74】「弁護人ハ一定ノ被告人ヲ保護スベキ任務ヲ有スルモノニシテ畢竟被告人ノ利益ヲ防禦スル機関ニ外ナラズ。従テ被告人ハ審級ノ或ル期間又ハ訴訟行為ノ或部分ヲ限リテ弁護人ヲ選任スルコトヲ得ルモノト解スルヲ相当トシ、斯ノ如キ場合ニ於テハ、其ノ弁護人ノ弁護権ハ限定セラレタル期間又ハ訴訟行為ノ完結ニ因リテ終了スルモノトス。本件ニ於テ、被告人、原審ニ於ケル第一回公判以来ノ弁護人T、及前示S三者ノ住所ノ地理的関係、原審ニ於ケル訴訟手続進行ノ模様、被告人及S連署ノ弁護届……ノ様式其ノ他ノ事情ヨリ推考スルトキハ、弁護人Sト被告人トノ間ノ弁護関係ハ、両者間ノ黙示ノ特別意思表示ニ因リ前掲嘱託証人訊問ノ立会ノミニ局限セラレ従テ右証人訊問ノ終結ニヨリテ絶対的ニ終了シタルモノト認ムルヲ相当ト

ス」(大判昭一一・四・一五刑集一五・五八三(旧))。

(二)　延長の問題　選任の効力は、弁護人選任書の提出(刑訴規一八)に始まり、その審級(起訴前に選任したばあいは、第一審)の終りとともに終る(刑訴三二II)のが原則である。ただし、起訴前の選任については、方式が要求されていないので(六参照)、弁護人選任書を差し出さなくても、選任の効力は発生しうるが、第一審であらためて選任手続を要することとなる(刑訴規一七)。以下、右に掲げた原則について問題となる点を効力の始期および終期の順で考察しよう。

(1)　効力の始期に関して、従来もっとも論議を呼んだのは、上告趣意書提出後における弁護届の追完の問題である。

まず、旧旧刑訴のもとで、大審院は追完の効力を否定し、同じ態度が、旧刑訴下の判例にも継承された。

【75】　「被告Sノ上告ニ付キ按ズルニ、同人ハ法定ノ期間内ニ上告申立ヲ為シ、上告趣意書差出最終日、即チ大正六年八月八日ニ、弁護士法学博士H(ほか二名)……ヨリSノ為メ上告趣意書ヲ差シ出シタルモ、右三名ニ対スル弁護人選定届ハ、超テ翌翌日一〇日ニ提出シタルヲ以テ、前記上告趣意書ハ、弁護届ノ提出前ニ差出シタルモノニシテ其効ナク、随テSハ上告趣意書提出期間内ニ同書ヲ差出サザルコトトナリ、同人ノ上告ハ不成立ニ帰スルモノトス。故ニ爾後弁護人選任届ノ提出アルモ、一旦不成立ニ帰シタル上告ヲ成立セシムルコト能ハズ。叙上ノ理由ニヨリ、被告Sハ、適法ノ期間内ニ上告趣意書ヲ差出サザルモノトス」(大判大六・八・二七刑録二三・九六〇(旧)評釈、牧野・刑法研究二巻四五四頁)。

【76】　「弁護士Aハ法定期間ノ末日ナル昭和一三年五月一〇日被告ノ為上告趣意書ヲ差出シタレドモ、弁護人選任届ハ其ノ後ナル同月一三日本院ニ提出セラレタルガ故ニ、該上告趣意書ハ、畢竟未ダ弁護人ニアラザル者ノ差出ニ係リ、其ノ効ナキモノトス」(大判昭一三・六・八刑集一七・四二一(旧)、評釈、団藤・刑評一巻五二事件)。

【75】に対しては、牧野博士が反対意見を示されたが、団藤教授は、【76】に対する評釈で、弁護人選任届の提出が上告趣意書提出期間経過後になされている点を強調して、判旨を結論的に支持された。続く【77】は、追完の可否に理論的な角度から言及し、教授の見解と対決する姿勢を示した異色の判例である。

【77】「記録ニ依レバ、昭和一七年一月二〇日附同弁護人ノ弁護届ハ、同年二月九日即チ本件第一回公判期日ニ於テ提出セラレタルモノナルコト其ノ本院受附印日附ニ徴シ極メテ明確ナリ。然ラバ該上告趣意書ハ弁護届提出以前ニ差出サレタルモノニシテ其ノ効ナク、結局上告趣意書提出期間内ニ之ヲ提出セザリシコトトナリ、爾後弁護届ヲ提出スルモ遡及シテ其ノ効果ヲ発生スルニ由ナキモノナリ。蓋シ刑事訴訟行為ハ段階的ニ発展スル一定ノ連鎖ヲ形成シ、其ノ性質上迅速且正確ニ行ハルルコトヲ必要トスルガ故ニ、一定ノ訴訟行為ハ一定ノ訴訟状態ニ於テ為サルルコトニ依リテノミ其ノ効力ヲ発生シ、他ノ訴訟行為乃至訴訟上ノ事実ニ対シ時間的ニ前後又ハ同時ノ関係ニ立ツコトヲ常態トシ、法定ノ時期ニ後レテ為サレタル訴訟行為ハ法定ノ時期ニ為サレタルト同様ノ効果ヲ発生セシムベキモノニ非ザレバナリ。従テ所謂訴訟行為追完ノ如キハ刑事訴訟法上之ヲ許サザルヲ以テ、右ノ上告趣意ニ対シテハ之ガ説明ヲ与ヘズ」（大判昭一七・二・一九刑集二一・五七(旧)、評釈、団藤・刑評五巻五事件、斎藤(悠)・日本法学八巻八号）。

しかし、大審院は、次の【78】で、【77】の説示を実質的に修正した。団藤教授の批評を受け入れたものといってよいであろう。

【78】「記録ヲ精査スルニ、弁護人ノ本件……弁護人選任届ハ、孰レモ上告趣意書提出ノ法定期日経過後ノ提出ニ係ルヲ以テ、本件上告趣意書ハ、弁護人タルノ資格ナクシテ提出シタルモノニシテ、其効ナキモノトス。蓋シ、法定期日後ニ於テ弁護人選任届ヲ提出スルモ、遡及シテ其ノ効果ヲ発生スルニ由ナケレバナリ(【77】参照)」（大決昭二一・六・二二刑集二五・二一(旧)）。

最高裁判所も、旧法事件について【78】と同じ態度をとり、次のように述べた。

【79】「弁護人Aの本件上告趣意書は提出期間の末日である昭和二三年三月三〇日上告趣意書を当裁判所に提出したのであるが、その弁護届は右期間経過後の四月二日提出せられたのであるから、右の上告趣意書は弁護人でないものが提出したこと

となり適法な上告趣意書と認めることはできない。けだし、刑事訴訟法第四二三条が最初に定めた公判期日の一五日前迄に上告趣意書を上告裁判所に提出すべき旨を規定しているのは、……これを基本として公判期日を追うて進めなければならないいろいろな手続があるからであつて、仮に上告趣意書提出期間経過後最初に定めた公判期日迄に弁護届が提出されたとしても、それから上述の手続を進めたのでは十分にその目的を達することができないのであるから、この上告趣意書提出期間は厳に遵守されなければならぬ。従つて期間後の弁護届の提出によつて、遡つて、前の上告趣意書を有効とすることは許されないのである」(最判昭二三・六・一二刑集二・七・六六八(旧)、評釈・平野・判例研究二巻四号、小野慶二・刑評九巻一三事件)。

【79】の判示は、旧法事件について、最決昭二三・七・六(刑集二・八・七九一)、新法事件について、最決昭二六・五・一(刑集五・六・九八七)でくりかえされ、判例として確定したかに見えた。ところが、次の【80】は、一躍、無限定的に追完を認めて、大審院以来の判例をくつがえした。結論の当否は疑問であるが(沢田ほか二裁判官は反対)、重要な発展であることは承認しなければならない(なお、後出一六七頁参照)。

【80】「右原審弁護人は、上告趣意書提出期間中に上告趣意書を提出し、その後右期間経過後本件審理中に、当審弁護人として選任された旨の届出が提出された。弁護届は、裁判の時までに追完し得るものであるから、この意義においても本件上告趣意は、拒否することなく審理するを相当とする」(最判昭二九・七・七(大法廷)刑集八・七・一〇五二、評釈・平場・法学論叢六〇巻六号、松尾・警察研究三一巻六号)。

【80】の判旨が維持されるとすれば、控訴審における控訴趣意書の提出に関しても、弁護人選任届の追完が認められることになろう。

(2)　効力の始期に関して、被告人を公判期日に召喚する手続がなされたのちに弁護人選任届を提出したばあい、裁判所はこの弁護人に右の期日の通知をしなければならないかという問題がある。判例は、後述のように(一六〇頁以下)、通知の必要はないという見解をとつているので、弁護人選任の効力が直ちには発生しないように見える。しかし、公判期日に自発的に出頭することはもちろん、その他弁護人としての活動はすべて許され、単に期日の通知を受けえないというに過ぎないから、効力の発生が暫時不完全な状態にとどまるものと考えるべきであろう。

(3)　効力の終期は、その審級の終了と一致するのが原則であることは、前に述べた。ここで、審級の「終期」はいつかという問題が生ずる。大審院の判例【3】は、事件は「裁判ノ宣告ニ因リ」直ちにその審級を離脱するかの如き判示をして、小野博士の批判を受けた（小野・判例研究三一二頁）。最高裁判所の判例【1】は、【3】を変更したものではあるが、右の論点についてとくに触れてはいない。しかし、終局裁判の確定、または上訴による移審の効果の発生によつてはじめて「審級」が終了することは、一般に認められているといつてよい（平野・刑訴（法律学全集）三〇一頁、高田・刑訴改訂版五一五頁）。それまでは、弁護人選任の効力も存続し、弁護人は、訴訟行為をなしうるのである（保釈請求など実際上の必要も大きい）。もつとも、「審級」の観念は、単純に時間的な前後関係だけで把えられるものではない。それ故にこそ法は、弁護人に「上訴」を認めるための明文をおいたのである（刑訴三五五。なお、前出一二頁参照）。この規定による弁護人の上訴申立権は、むろん原審における訴訟係属中に、すなわち審級の終了前にかぎつて行使できるものであるから、選任の効力の終期について何ら問題視するに当らない。しかし、（原審の）弁護人に上訴趣意書の提出をも許すということになると、その限りで、審級終了後まで効力が及ぶことを承認しなければならない。この点について、判例は、のちに詳論するように、多年の否定的態度を一擲して、趣意書提出権まで認めているのである（後出一六六頁以下参照）。

なお、選任の効力が、破棄差戻後の審級に及ばないことは当然で、次の判例がこの点を明言している。

【81】「刑訴三二条二項の解釈上、差戻前の第一審においてした弁護人の選任が、差戻後の第一審においても効力を有するものとすることはできない」（最決昭二七・一二・二六刑集六・一二・一四七〇、評釈、井口・刑評一四巻五二事件）。

(4)　なお、選任の効力は、審級の途中においても、弁護人の解任、辞任、資格喪失（弁護士たる弁護人のばあい）、許可の取消（特別弁護人のばあい）、死亡等の事由によって消滅する。前出【40】は、弁護人が弁護士登録を取り消したばあいについて、弁護人選任の効力の消滅を認めた事案である。また、次の【82】は、辞任に関するが、公判開廷中の辞任を「権利濫用行為」として、期日の終了まで辞任の効果を生じさせなかった特異な事例である。

【82】「凡そ弁護士として刑事被告人の弁護人となる者は、訴訟法規上種々特殊の権利と地位とを認められる反面、ひろく公益的見地から刑事司法に協力して社会正義の実現に努むべき使命を帯びているものである。而して弁護人が一旦弁護人選任届を提出して公判期日に出頭しながら、未だ人定質問の途中突然口頭で負担過重を理由として弁護辞任を申出で、同時にその辞任されたと称する被告人から即時国選弁護人の選任請求に至らしめるが如き場合、若しこれにより直ちにその選任なくしては訴訟の適法なる進行はできなくなるものとすれば、結局つねに弁護人の全く自由なる一存によつて、訴訟手続の秩序と進行とは乱潰寸断される危険にさらされることは明らかである。故に、斯る辞任申出は、前記弁護人の職責に反すること甚しき一種の権利濫用行為として、少くとも裁判所および他の訴訟関係人において同公判期日に一応予定した訴訟行為の終了するまでは、なおその辞任行為は効力を発生するに至らざるものと解するを相当とする」（東京高判昭二八・八・一四特三九・八二）。

三　国選弁護人の選任

国選弁護制度の拡充は、現行刑訴の著るしい特色である。憲法三七条三項後段は、「被告人が自らこれ（資格を有する弁護人）を依頼することができないときは、国でこれを附する」として、同項前段の弁護人依頼権の保障を裏打ちした。これは「アメリカ憲法に一歩を進めたもの」と評される高度の規定である（註解日本国憲法・上六五三頁参照）。この規定の要請を直接的にみたすものとして、刑訴三六条が新設された。そのほか、弁護人の国選が必要または可能なばあいを定めた条文は、刑訴三七条、同二八九条、同二九〇条の三があり、いずれも旧刑訴から引き継がれたものであるが、憲法の趣旨に添う変容を受けている。以下、個別に検討を加えてゆこう（この分野における昭和二七年頃までの判例の総合研究として、天野「判例に現われた国選弁護の問題」判タ一九・二〇・二七号がある）。

一　刑訴三六条による選任

刑訴三六条は、「貧困その他の事由により」弁護人を選任できない被告人が、選任の「請求」をしたばあいに、裁判所はこの被告人のため弁護人を附しなければならないとする。この規定は憲法三七条三項後段を背景としているため、その解釈は、すでに応急措置法時代から（応措四条は、現行刑訴三六条と同文）、しばしば憲法問題として争われた。

（一）「貧困その他の事由により弁護人を選任することができないとき」と憲法三七条三項後段

法が、選任の要件として「貧困その他の事由」を掲げたのは、憲法上の保障に対し法律をもつて制限を加えたものだ、という主張は次の【83】がこれを斥けた。論なく正当であろう。

【83】「憲法には『被告人が自らこれを依頼することができないとき』と規定し弁護人を依頼することのできない事由を明記していないけれども、被告人が自ら弁護人を依頼できないことについては必ず依頼できないといえるだけの相当の事由がなければならない訳である。そしてその事由は貧困その他の事由という広い表現によつて十分に網羅することができるのであるから、前示刑訴応急措置法第四条に『貧困その他の事由』と規定したのは単に憲法の規定の趣旨を明かにしたに過ぎないもの

であって、別に憲法の規定に反して新たな条件をつけたものということはできないのである」（最判昭二四・一一・二（大法廷）刑集三・一一・一七三七（旧））。

規則は、法を受けて、選任請求には「その理由を示さなければならない」とする（刑訴規二八）。理由を示せば足りるのであって、疎明を必要とするのではない（団藤・条解刑訴八四頁）。実務もこの線で動いていると思われる。「（問）、貧困その他の事由により弁護人を選任することができないことは被告人において疎明の必要があるか。（答）、然らず。然し、裁判所は弁護人を選任することができない貧困その他の事由の存否につき疑があるときは、調査すべきである」（質疑回答集・刑事裁判資料六七号一六頁、裁判例要旨集一巻二七四頁）。むろん、調査の結果、理由がないときは、請求を却下して差し支えない（同上、六七号一七頁、一巻二七三頁）。

「その他の事由」としては、「その地のすべての弁護士の反感を買ったばあい」（団藤・条解刑訴八三頁）などが、想定されている。

（二）「請求」と憲法三七条三項後段　法が、被告人の「請求」を選任の要件としている点は、くりかえし判例の対象となった。最初の判例は次の【84】であって（【83】と同一事件）、請求によって弁護人を附すれば充分、かつそれが相当であるとする。

【84】「弁護人を選任することは、原則として被告人の自由意思に委せられているのであって、被告人が、貧困その他の事由の有無に拘らず、弁護人を選任する意思のない場合には、刑訴法上いわゆる強制弁護の場合を除いては、国が積極的に被告人のために弁護人を選任する必要はないのである。従って、被告人が貧困その他の事由で弁護人を依頼できないときでも、国に対して弁護人の選任を請求する者に対して弁護人を附すれば足るのであるのみならず、被告人が自ら弁護人を依頼できない事由があるかどうかは、被告人側に存する事由で国には判らないのであるから、被告人の請求によって弁護人を附することにすることが相当である。然らば前示刑訴応急措置法第四条の規定は、何等憲法の規定に違反したものということはできない」

（最判昭二四・一一・二（大法廷）刑集三・一一・一七三七（旧））。

【84】が、被告人に選任を欲する気持がないのであれば国選の必要はないと述べているのは、むろん正しい。国選請求権は放棄できない権利ではないからである。しかし問題は、「請求」しないことをただちに「選任する意思」のないことと同視してよいかにある。【84】は、判決理由の中で（右に掲げた部分に引き続いて）、被告人が、勾留訊問の際、裁判官から弁護人依頼権ならびに国選請求権について告知を受けた事実、および弁護人は私選すると答えた事実を認定している。このような事実があれば、被告人は、自己の権利を知りながら行使しなかつたのであるから、結局選任する意思がなかつたものと認められる。その限りで、【84】の判示は正当であつたといえよう（被告人の能力上、請求不可能のばあいについては、後出九二頁参照）。こうして、問題の重点は、次の告知および照会手続の点に移る。

（三）　告知および照会手続と憲法三七条三項後段　　国選請求権について告知を受けることは被告人の憲法上の権利の一部であろうか。応急措置法は、「引致された被告人又は被疑者」に対して「弁護人を選任することができる旨」を告知せよとは定めていたが（応措六）、国選請求権の告知に関する規定は設けていなかつた（現行法については前出四六頁参照）。右【84】における「勾留訊問」の際には、法律の定める義務以上に告知が行なわれたわけである。この「告知」と相ともなつてのみ、「『請求』によつて弁護人を附する」ことが合憲性を保持するのだとすれば、告知自体も憲法の要請するところではないかという疑問が生じてくる。しかし、次の【85】は、この点を明瞭に否定し、以後の判例も、【86】に見るように、しばしばこれを引用して被告人の上告を斥けた。

【85】「法は所論のようなことを特に被告人に告げる義務を裁判所に負わせているものではないから、原判決には所論のような違法はなく、論旨は理由がない」（最判昭二四・一一・三〇（大法廷）刑集三・一一・一八五七（旧））。

【86】「憲法三七条三項は、被告人が自ら弁護人に依頼することができない場合には国でこれを附する旨を被告人に告知すべき義務を裁判所に負わせているものでないことは、当裁判所大法廷の判例とするところである（【85】）」（最判昭二五・七・二七刑集四・八・一五三七（旧））。

これらの判例が、国選請求権を告知しなかつたからといつてただちに憲法違反にはならないという趣旨であるとすれば、これを是認してもよい。けれども、憲法上の権利である国選請求権を実質的に補完するものとして、その告知が重要な意味をもつことは軽視さるべきでない。【85】の判示は、どこから見ても不充分である。【85】のいう「法」が法律であるとすれば、たしかに当時の法律は国選請求権に関する告知を義務づけていなかつたが（前出七七頁参照）、ここでは法のそのような態度がまさに問題なのである。また、憲法を含めて「法」と呼んだのだとすれば、判例は、何らの理由も述べないで憲法解釈の結論だけを示したことになる。先例としての価値に乏しいものと評すべきであろう。

現行刑訴は、前述のように告知義務を法定し（刑訴七六・七七・二七二）、また、規則で、受訴裁判所は弁護人選任に関し一定の照会手続をとるべきものとした（刑訴規一七八）。これらの規定と憲法との関係については、【87】のように、積極的な態度を示す高裁判例も現われたが、最高裁判所は、【88】のように、依然として応急措置法下の判示を踏襲した。しかし、【88】には、後記のような少数意見が附されていることが注意をひくのである。

【87】「いやしくも公訴の提起があつたときは、如何なる事件についても、裁判所としては必ず被告人に対し刑訴第三六条、第二七二条、刑訴規則第一七七条、第一七八条の規定による手続を履践することを要するものと解すべく、この手続を経ずし

て行われた裁判所の審判は、憲法第三七条によつて保障された被告人の権利を無視する違法のものといわなければならない」（東京高判昭二六・一二・一五〈東京高時報一・一四刑二二〇〉）。

【88】「憲法三七条三項前段所定の弁護人を依頼する権利は被告人が自ら行使すべきもので、裁判所は被告人にこの権利を行使する機会を与え、その行使を妨げなければ足るものであること、同条項後段の規定は被告人が貧困その他の事由で弁護人を依頼できないときは国に対して弁護人の選任を請求できるのであり、国はこれに対して弁護人を附すれば足るものであること及び同条項は被告人に対し弁護人の選任を請求し得る旨を告知すべき義務を裁判所に負わせているものでないことは、既に当裁判所の判例としているところであり、今これを変更する必要はない（【84】、【85】参照）。また刑訴規則一七八条は所論のいわゆる弁護人選任の照会手続について規定しているが、前示憲法の条項が裁判所にかかる照会手続をする義務を課したものでないことは、前示判例の趣旨から自ら明らかである」（最判昭二八・四・一〈大法廷〉刑集七・四・七一三、評釈、山崎・刑評一五巻二〇事件）。

〔88における谷村裁判官の補足意見〕「刑訴二七二条が控訴審に準用があるかどうかについては意見が分れているが、私は……準用すべきものと信ずる（従つて刑訴規則一七七条一七八条も……控訴審に準用される）。……第一審でなした訴訟上の諸手続は第一審限りで終るのが原則であり、公訴の提起後における弁護人の選任は審級毎にこれをしなければならないとの規定（刑訴三二条）の趣旨から見ても、第一審でした弁護人選任の通知並びに照会手続が、控訴審においてもなお訴訟法上の効力があるとすることは何等首肯するに足る根拠もなく、且つ控訴審における訴訟手続がすべて新たに発足する事実を無視した見解であり、またかかる見解を以て訴訟手続に通じない被告人を遇することは実情にも副わないものである。従つて、被告人に弁護人のないときは、各審級毎に適当な時期に前記通知並びに照会の手続を採り、被告人に弁護人選任の機会を遺漏なく与えることが、憲法三七条三項並びに刑訴三六条の精神に適う所以である」。

〔88における小林裁判官の補足意見〕「裁判所は被告人に弁護人の私選又は国選を請求する権利を行使する機会を与えその行使を妨げなければ足りるとしても（判示引用大法廷判決）、選任照会の手続を行うことがすなわち機会を与えることに外ならないばかりでなく、すべての被告人が自ら進んで怠りなくこの権利を行使する知識と意力とをもつていると見るのは、現実を離れた皮相な観察であり、或は公式になずみ法の真に意図する精神に考慮を払わない説である。被告人の多くはいわば社会的敗者であつて、事物に対する正常の判断力と意思力に不足するところのあるのを通例とし、従つてこれらの被告人に刑事手続上の知識を当然に期待するごときは矛盾も甚しく、その上になおその知識に基いて自から進んで弁護人選任の手続をする意力

を期待するに至つては、むしろ被告人等の多くが社会の一員として欠陥を有する者であることを忘れた考えであるといわなければならない」。

【88】には、なお、小谷裁判官の補足意見(後出一一二頁参照)、および、真野裁判官の反対意見(後出八九頁参照)がある。

さて、小林裁判官がとくに強調された照会手続の重要性は、実務においても広く認識され、必要な項目を印刷した回答用紙を被告人に送付して、記入返送を求める方式が実行されている(後出八三頁参照)。ただ、照会手続を定めた規則一七八条が、控訴審(および上告審)にも準用されるかという問題になると、谷村裁判官の言のごとく、意見は一致していない(控訴審における実務が分れていることにつき、江碕「控訴審の手続」法律実務講座一〇巻二三六九頁以下。なお、青柳「上告審の手続及び裁判」法律実務講座一一巻二五八〇頁は、上告審につき、原審が照会手続をすませて記録上明らかにしておくことが望ましいとされる)。もつとも、必要的弁護事件においては、後述するように、準用すべきものと解されている(一一四頁以下参照)。

弁護人選任に関する権利の告知および照会手続は、第一審では、公訴の提起後「遅滞なく」行なわれなければならない(刑訴二七二、刑訴規一七七・一七八)。追起訴事件のばあい、告知および照会の手続をくり返すべきかについては、規則一八条の二が新設された関係もあつて(前出六七頁参照)、多少の疑問がある(山田「公判開廷までの手続」法律実務講座六巻一一八八頁は、自らは積極説を採りつつ、「実務の取扱は必ずしも一定していない」と説明される)。

(四)「請求」の意義　前款で述べたように、弁護人選任に関する照会手続が履践されるようになると、これに対する被告人からの回答の解釈が問題となつてきた。国選を「請求」する意思であるのかどうかが不明確な事例を生じたためである。次の【89】は一審の手続、【90】は控訴審の手続に関するが、いずれも被告人の回答は弁護人選任を請求する趣旨ではなかつたものと解している。

【89】「被告人は、第一審において、貧困その他の事由によつて弁護人を選任することができないときは、弁護人の選任を請求することができる旨の告知に対して、貧困により弁護人の私選をしない旨の回答をしたに止まり、何等積極的に弁護人選任の請求をせず、又第一審においても何等その請求をしないで審理を受けているので、このような場合には、第一審裁判所が国選弁護人を付しなかつたからといつて違憲ではな〔い〕」（最判昭二五・六・二三 刑集四・六・一〇六一）。

【90】「原審裁判所は、被告人に対し、控訴趣意書提出最終日の指定通知と共に弁護人選任に関する通知をなし、被告人は、直ちに『私は弁護人を代理します』と回答して、弁護人を選任することなく、期間内に自ら控訴趣意書を作成提出したこと、同裁判所は、右期限後第一回公判期日を定め、なおその期日の前日に国選弁護人を選任したこと、右公判期日には被告人及び弁護人が出頭し、弁護人は異議なく被告人の控訴趣意書に基き弁論し、結審されたことが明らかである。しかして被告人の前記回答の意味、及び自ら控訴趣意書を作成提出したこと等の点より見ると、他に特別の意思表示のない限り、被告人は自ら弁護人を選任する意思なく、また国選弁護人の選任を請求しない趣旨と解することができる」（最判昭三〇・九・二三、最高裁裁判集刑一〇八・五七一）。

【90】はともかく、【89】の「貧困により弁護人の私選をしない」旨の回答が、「しかし、国選請求はしない」という意味を含むと解しうるかは多少問題である。この点について、次の【91】では、少数意見の裁判官によつて突つこんだ議論が展開された。事案は、控訴を申し立てた被告人に対し、一審裁判所が、「私選弁護人は頼まない。私選弁護人は　月　日（弁護人　　を）選任した」との二項目を印刷した回答用紙を使用して、弁護人選任に関する照会手続をとつたところ、被告人は、第一項に○印を附して提出した。この回答書は、一審の訴訟記録の末尾に編綴して控訴審に送付されたが、控訴審は、弁護人を選任しないで控訴趣意書提出最終日を指定し、最終日経過後、第一回公判期日の前日に至つてようやく弁護人を選任したというものである（本件は、必要的弁護事件である）。

【91】「被告人が自ら弁護人を依頼することができない場合に、被告人から国選弁護人選任の請求があれば、必要的弁護事件であると否とを問わず、その選任をしなければならないことは……憲法〔三七条三項〕の規定の要請するところであり、刑

訴三六条は右憲法の規定をうけて『被告人が貧困その他の事由により弁護人を選任することができないときは、裁判所は、その請求により被告人のため弁護人を附しなければならない』と規定する。すなわち、国選弁護人選任については、被告人の理由を付した選任請求があることを要し、その選任するや否やは裁判所が理由について、被告人が自ら弁護人を依頼することができない事情があるかどうかを判断して、その選任を決定するのである。かくの如く国選弁護人選任について被告人の理由を付した選任請求のあることを要するものとした右刑訴法および刑訴規則の規定は、右憲法の趣旨に合致するものといわねばならぬ（【83】＝【84】、【88】参照）。然らば、単に『弁護人を私選しない』旨の被告人の前記意思表示は、国選弁護人選任請求の意思も表示されておらず、また、何ら理由も付されていないのであるから、これを以つて直ちに憲法の要請するところの国選弁護人選任の請求とみることは到底できないものと断ぜざるを得ない」（最決昭三二・七・一七（大法廷）刑集一一・七・一八四三）。

〔91における小谷裁判官の反対意見〕「右『私選弁護人は頼まない』との回答は、『私選弁護人は選任することができないから、国選弁護人を附して貰いたい』との黙示の理由を附した国選弁護人選任の請求（刑訴三六、刑訴規二八）と解すべきことは、本件照会回答の趣旨に照してまことに当然のことといわなければならない」。

〔91における小林裁判官の反対意見〕「〔憲法三七条三項〕後段の国選弁護人の制度……〔は〕、被告人には常に弁護人が附いているのが本来であり、また被告人は常に弁護人の附くことを欲しているという、基本的な考え方に立つているのである。ただ現在の制度は、弁護人は私選を原則としているから、まず被告人に私選するかどうかを問い合せているにすぎない（この点について【88】における私の意見参照）。……次に本件の回答書の解釈についてであるが、多数意見が拘禁中の被告人の現実を無視した結論について強く抗議をしておきたい。本件において勾留中の被告人が出した回答書は、……国選弁護人の選任を欲するかどうかを答える文言は刷つてない。だから被告人はおそらく費用などの理由から、指示のとおり『私選弁護人は頼まない』方に○印を附して答えたにすぎないのである。しかし上訴をしている以上、ふたたび二審の公正な審判を受けたい意思であることは明らかであり、従つて、そのために弁護人の選任を欲する意思のあることも当然推認し得るところである。もしこの点に疑問があるならば、裁判所は、被告人に重ねて弁護人の国選を欲するかどうかを確かめるべきであつた。裁判所が本件のような回答用紙を送つておきながら、なお国選については、『理由を付した選任請求』書を別に自から作成して裁判所に提出することを要求するのは、刑務所に拘置されている多くの被告人の能力とその実状を無視した難題ともいうべきである。多くの実務例として、裁判所が、私選と国選の双方について納得のいく照会文と、これに対応し適確な回答ができるような文言を印刷した回答用紙を被告人に送つているのは、右のような被告人の実状に即した当然の措置にほかならない。これに対し、このような用紙

の送付は、裁判所の好意にすぎないとし、被告人の権利は被告人自から正規の形式を履んで行使すべきであるというような公式論を貫くならば、折角の国選弁護人制度も、結局意義のとぼしい形式的なものになってしまうであろう」。

【91】に対し、高田教授は、多数意見が選任請求の「理由」にこだわっているのは妥当でないとし、具体的事案の解決としては少数意見がすぐれていると述べておられる（判例回顧一九五八年度一〇四頁）。この事件では、照会手続に使用された回答用紙の不備が問題の根源をなしているが、現在の慣行は、項目を三つに増し、「国選弁護人の選任を求める」という項目を設けた回答用紙を用いている（青柳・テキスト刑訴（昭三四）一六三頁に雛形がある）ので、いわば技術的に解決ずみとなった。しかし、【91】の少数意見の趣旨は、なお尊重されてよいであろう。

（五）　選任請求を受けた裁判所の措置

(1)　請求に対する判断　弁護人選任の請求を受けた裁判所は、その許否について判断しなければならない。請求に理由があるときは弁護人を附する決定をする。この決定は、これに基く具体的な選任（刑訴規三八）と理論上別個の存在である（団藤・条解八三頁）。ただ、外部に対しては選任行為自体によって表示すれば実際上充分であろう（小野等・ポケット刑訴六四頁）。また、請求を認容しないときは、その旨の決定をし、被告人に告知する必要がある。次の【92】は、この趣旨を判示している。

【92】「裁判所は、たとい弁護人選任の請求があつたからとて、必ずしもこれを許可しなければならないという訳ではなく、適宜の方法により被告人が貧困のため自ら弁護人を附することができないかどうかを判断し、その許否を決し得ること勿論であるが、右請求に対しては、公判審理前にその許否を決定しなければならないものと解しなければならないのである。けだし、裁判所が右請求を却下する決定をなせば、被告人からこれに対し抗告することができるのであつて、この決定は、被告人の弁

護人選任権に重大な関係を有するものといわねばならぬからである」(大阪高判昭二五・九・一五特一四・三八)。

右判例が、抗告の可能性を理由としているのは正確ではない。けだし、国選弁護人を附することに関する決定は、「訴訟手続に関し判決前にした決定」にあたり、一般抗告は許されていないからである(刑訴四二〇I)。もっとも、特別抗告については、――終局判決に対する上訴では充分な救済となり得ないから――許されると解すべきであろう(小野等・ポケット刑訴六三頁も同旨)。のみならず上訴の点を別にしても、被告人が請求拒否決定の告知を受くべき利益を有することは明らかである。結局、【92】の判旨は支持されてよい。東京高判昭三五・六・二九(東京高時報一一・六刑一七一)も、選任請求拒否の通知をしないまま審理を進めた原審の手続を違法とし、破棄差戻を言い渡した判例である。

裁判所が弁護人を附する決定をしたときは、裁判長は、弁護士(原則としてその裁判所所在地の)の中から、弁護人を選任しなければならない(刑訴三八I、刑訴規二九I)。旧刑訴は、当然には私選弁護人となり得ない者(「司法官試補」)を選任することを認めていたが(旧刑訴四三)、もはや、このような取扱は、憲法上許されない(なお、被選任者たる要件について、後出一一七頁以下参照)。

(2)　選任の時期　問題になるのは、選任の時期である。この点、法には直接の規定がなく、僅かに規則が必要的弁護事件について照会に対する回答期間後「直ちに」と定めているにすぎない(刑訴規一七八III)。しかし、弁護人がその弁護活動のために必要な調査準備の余裕をおいて選任すべきことはいうをまたない。これは実質的に重要な問題であり、もし運用上この点が軽視されれば、国選弁護人の選任は単なる形式に流れ、憲法の意図が画餅に帰することになりかねない(岸「刑事訴訟法の基本原理」法律実務講座一巻五頁参照)。次に二つの判例を掲げるのは、必ずしもこれを先例として尊重する趣旨ではない。

【93】「裁判所が、法律の規定に基いて、弁護人を選任するにあたつては、弁護人が公判期日前に弁護の準備をするに必要な時日の余裕をおいて、選任すべきであつて、公判期日の前日に弁護人を選任するがごときは、弁護権を尊重すべき裁判所の措置として当を得たものでないことは勿論であるといわなければならない。記録を査閲すれば、原審において、被告人Kは、自ら弁護人を選任することができない旨を申出たため、裁判所は昭和二三年六月一四日同人のため弁護士Mを弁護人に選任し、翌一五日公判を開廷し、同弁護士立会の上事実審理、証拠調を施行、同弁護士の弁論を経て、即日公判手続を終結したことは所論のとおりである。しかしながら、原審公判調書によれば、当日の公判には終始、右弁護人は立会つたのであるが、弁護人から弁論準備のため期日の延期若くは審理の続行を申出た形跡もなく、その開廷並びに審理の進行について、被告人からも、弁護人からも別段の異議もなく、弁護人の弁論を経て結審となつているのである。おもうに、本件は、その内容がさして複雑というでもなく公判における事件の審理も相当詳密に行われたので、弁護人としては、特に期日の延期続行等を申請するまでもなく、公判審理に立会うことによつて、十分に事件の全貌を把握し得て被告人の弁護に欠くるところのないものと信じ、直ちに弁論をして、その日の結審に別段の異議を述べなかつたものと推断するのが相当である。若し弁護人において弁論準備のために、なお時間的余裕が必要と思えば期日の延期、続行を申請すべきであつて、裁判所がかかる申請をも容れず徒らに結審を急いだという場合ならば、まさに不法に弁護権を制限したというべきであるけれども、本件において、かかる形跡のないことは前述のとおりであつて、かくのごとき場合においても、裁判所が職権をもつて、弁論を続行しない限り、不法に、弁護権を制限した違法あるものとすることは、到底首肯し難い」（最判昭二四・七・一三（大法廷）刑集三・八・一三〇四(旧)、評釈、正田・刑評一一巻六三事件）。

【94】「記録に基いて原審の訴訟手続を調査するに、原審は、昭和二六年七月三一日本件起訴状を受理し、……公判期日を〔八〕月九日午前九時と指定し、……同月一七日被告人に対し弁護人の選任に関する事項の通知及び照会をなし、同日其の回答を得た上、被告人のため弁護士Tを弁護人として選任し、同日被告人並に右国選弁護人の出頭を得て開廷の上審理を遂げ、即日判決の言渡をなしたものであることが明かである。……しかしながら、原審……公判調書の記載を検討すれば、弁護人は、昭和二六年八月一七日の公判に於て、原審の斯る訴訟手続に関し、何等の異議を留保することなく、被告人と共に当該期日に出頭し、閉廷に至るまでに終始審理に参与し、弁護人のため訴訟準備の時間的余裕を与えられなかつたことにつき、被告人に於ても、弁護人に於ても、原審の措置を全く責問することなくして終つたものであることを認め得るのみならず、さらに該調書の記載によれ

ば、被告人は本件公訴事実の全部を其の儘承認し、ただわづかに、諸般の情状を斟酌し、寛大な裁判あらんことを望んだに過ぎず、従つて、事案の比較的簡明な本件に於ける原審の前記の措置は、被告人の防禦権の行使に対し実質的に何らの不利益を及ぼすことがなかつたものであることをも肯認するに足る。そうして見れば本件の場合、叙上のような原審の措置は、被告人及び弁護人に於て、これに対する異議を留保しなかつた結果、其の違法が治癒せられるに至つたものと認めるを相当とすべく、仮に然らずとするも、本件に於て斯る訴訟手続の法令違背は判決に影響しなかつたものであることが明かであるから、いずれの観点よりするも、論旨は其の理由がない」（名古屋高金沢支判昭二七・三・一〇刑集五・四・四七六）。

【94】は、原審（第一審）が、弁護人選任に関する告知および照会手続を公判開廷の直前まで遅延した事例であつて、訴訟手続の法令違反があることは明らかである（前出八〇頁参照）。ただ、この事件は、酒類密造の一個の事実で起訴され、原審は、これに懲役四月但し二年間執行猶予および罰金一万円の刑を言い渡したもので、【94】判示の審理経過と相まつて、「比較的簡明な」事案であつたと認めてよい。したがつて、控訴審が違法の治癒を承認したのは不当でない。これに反して【93】の判旨は、当否ははなはだ疑問である。原審は、公判期日の前日に弁護人を選任しているが、事案は、兇悪な強盗殺人および住居侵入強盗の事実で、共犯者もそれぞれ四名づつあり、被告人は一審で死刑を宣告されていた。上告論旨がいう通り、記録も相当尨大であつたと思われる。この事件について「内容がさして複雑というでもなく」、……前日選任された弁護人でも「十分に事件の全貌を把握し得て被告人の弁護に欠くるところのないもの」と論じ去るのは、あまりに強弁というのほかはない。ひつきよう【93】のごときは、昭和二四年頃の混乱期の所産であつて、今日判例としての意味に乏しいものとみるべきであろう（なお、井上「弁護人の権利」判例学説刑事訴訟法一二一頁参照）。

(3)　選任を怠つたばあい　裁判所が、弁護人選任の請求を受けながら、漫然と選任を怠つて審理を進めたばあいは、もとより違法であるのみならず、違憲の問題も生じ得る。さらに、判決への影響も肯定されるから、控訴審ないし上告審において破棄理由があることになる。ただ、原判決が「無罪」のばあいは、破棄する必要はない。上訴制度の目的については議論が多いが、それが第一次的に具体的事件の救済を意図するものであることは、承認されてよいであろう。次の【95】では、検察官は事実誤認のみを主張したのであるが、裁判所が、その点の判断に入る前に、職権調査の結果とこれに対する自己の見解を次のように説示した。珍らしい事例である(なお、平野・刑訴(法律学全集)三一四頁参照)。

【95】「被告人は、原裁判所に対する弁護人選任に関する回答書なる書面によつて、国選弁護人を頼みたいとの申出をしていたにかかわらず、原裁判所は、これを閑却して、国選弁護人を附せず、終始弁護人のないままで審理、判決したものであることが、記録上明らかなところであるから、原裁判所は、この点において、訴訟手続に関する法令の違反をおかしているものといわなければならない。ただ、弁護人は、被告人の利益の保護のために附せられるものと解すべきものであるが、原裁判所は、有罪の判決をしたものではなく、無罪の判決をしたものであるから、弁護人なくして審理、判決した右訴訟手続に関する法令の違反が、判決に影響を及ぼすことが明らかなものとは、解することができない。よつて、このように、原判決が無罪の判決である限り、右の違法は、原判決を破棄すべき理由とはならないものといわなければならない」(東京高判昭三一・三・二刑集一〇・三・一二三)。

(4)　控訴審における選任の時期　その後とくに論議されてきたのは、控訴審における選任時期の問題である。新法によつて控訴審は覆審から事後審へ移行し、申立人の提出する控訴趣意書が審理の焦点をなすようになつた。この変革に伴つて、必要的弁護事件においては、控訴趣意書の作成に関して弁護人の選任が必要なのだとする見解も現れたが、この点は後述するところに譲り(一〇九頁以下参照)、ここでは、被告人から弁護人選任の請求があつたばあいに、弁護人が控訴趣意書を作成しうるような時期に選任しなくてもよいかという問題を論ずる。まず【96】は、控訴趣意書差出最終日の二日前に選任請求がなされ、右最終日の翌日弁護人が選任された事案について、裁判所としては遅滞なく選任したのだから適法だと判示した。

【96】「記録を精査するに、原審は控訴趣意書を差出すべき最終日を昭和二四年八月一九日と指定し、同年七月二二日その通知書を被告人に送達してこれが通知をなしているのである。そして、被告人は、国選弁護人選任要否の照会に対し一旦その必要なき旨の回答をしながら、控訴趣意書差出最終日に切迫した同年八月一七日に改めてこれが選任を請求したものであつて、原審裁判長は、同月二〇日、被告人の為弁護士Mを弁護士に選任したのである。なるほどこの弁護人選任の通知は、同年一一月四日に至り、はじめて同弁護人に対してなされたものであることは、所論の通りであるが、この通知の遅延したために、同弁護人が自ら控訴趣意書を提出し得なかつたものとはいい得ないのである。それは、同弁護人の選任そのものが、既に控訴趣意書差出最終日を経過した以後であつたからである。そして、弁護人の選任がかくの如く趣意書差出最終日後になされたことも、被告人が、裁判所に対し、一旦国選弁護人の選任不要の旨回答しながら、趣意書差出期間終了間際に至つて、改めてこれが選任を請求したため、裁判所が遅滞なくその選任をなしたにも拘らず、避けることのできなかつた結果であることは、前説示の手続の経過に徴して明らかである。されば、所論の如く、原審によつて国選弁護人の制度が無視され弁護人の弁護権に重大な制限が加えられたものとなすことはできない」（最決昭二五・一一・二一刑集四・一一・二三二一）。

続いて【97】（【88】と同一事件）では、同じく最終日の二日前に請求がなされた事案について、照会手続が履践されていなかつたにもかかわらず、被告人の責任を強調して論旨を斥けた。注目すべき点は、控訴趣意書差出最終日を変更すべきであつたという少数意見が現われていることである。

【97】「被告人が、その責に帰すべき事由により、控訴趣意書提出期間内に控訴趣意書を提出できるような適当な時期に弁護人選任の請求をしなかつたような場合は、裁判所が、控訴趣意書提出期間経過後に弁護人を選任しても、毫も被告人の憲法上の権利の行使を妨げたものではないから、憲法違反ということはできないのであつて、右のような場合に、裁判所は、控訴趣意書提出最終日の指定替をして、弁護人に改めて控訴趣意書提出の機会を与えなければならない憲法上の義務を負うもので

はない。……被告人は、……最終日を〔昭和二五〕年六月二四日と指定した通知を受け、同年六月一五日、自ら作成した控訴趣意書を提出した……のである……が同年六月二二日に至り、貧困を理由として国選弁護人選任の請求をしたので、原審裁判所は、同月二九日弁護士Kを弁護人に選任し〔た〕。……被告人は、控訴申立後は何時でも弁護人選任の請求ができるのであり、それは弁護人選任照会の有無にかかわりないのであるから、国選弁護人の選任を請求する機会は常に与えられているのである。……してみると、原審裁判所が期間経過後に弁護人を選任しても、それは期間終了に近接した時期に請求した被告人の責に帰すべき事由によるもので、原審裁判所に遅滞の責を負わせることはできない」（最判昭二八・四・一（大法廷）刑集七・四・七一三、評釈、山崎・刑評一五巻二〇事件）。

〔97における真野裁判官の反対意見〕「弁護人選任の請求により弁護人の弁護を受ける憲法上の権利は、控訴趣意書提出の最終日まで行使できるものと解するを相当とする。……本件のごとき場合については、結局憲法上の権利の行使に対応して、提出日の変更をなすべきものとわたしは考える。かく解することによつて、被告人――現実多くの場合においては法律知識が乏しい――の憲法上の権利は円滑に行使される結果となり、またこれがために、裁判所の事務の運行にもそれ程大した差支えは生じないのである」。

右の真野意見は、その後の判例に直接の影響を与えることはできなかつた（山崎・前掲評釈九九頁は、真野裁判官が訴訟手続の発展的性格を無視された点に難があるとする）。最決昭二九・一一・三〇（刑集八・一一・一八九八）は、請求がなされたのが最終日当日という事案についてではあつたが、「四〇五条の上告理由にあたらない」として斥ける態度をとつた。かようにして、【97】の多数意見は、現在のところ確定的な判例といつてよいと思われる。すなわち被告人としては、弁護人の選任請求を遅らせた以上、控訴趣意書提出期間内に選任を得られなくても致し方ないのである。

それでは、早期に選任を請求すれば必ず適切な時期に選任してもらえるだろうか。次の【98】は、最終日の一月近く前に請求したにもかかわらず、弁護人の選任が間に合わなかつた事例である。原審は、昭和三一年七月二五日、被告人に対し、控訴趣意書提出最終日（同年八月二四日と指定）通知および弁護人選任に関する照会手続をした。被告人は、同年七月二八日、「貧困」を理由に国選弁護人選任を請求した。原審は、同年九月四日に弁護人を選任し、同月一八日第一回公判期日を開き（右弁護人は被告人提出の趣意書に基き弁論）、結審した。以上のような経過に対し、大法廷は、次のように判示して、被告人の上告を棄却した。さすがに五裁判官の反対がある（棄却意見は、八名の裁判官による）。

【98】「およそ、裁判所が特段の理由なくして控訴趣意書（以下単に趣意書という）提出最終日に接着し、またはこれを経過して国選弁護人を選任する場合は、裁判所は、刑訴規則二三六条に準じ、右最終日を変更し改めて弁護人に趣意書提出の機会を与えるか、あるいは弁護人の必要とする相当の期間内に弁護人から趣意書を提出するよう促し、刑訴規則二三八条に従つてこれを受理するか、いずれかの方法をとらなければならないと解すべきであるとともに、弁護人においても、趣意書提出のため必要と認めるときは、裁判所に右最終日の変更を請求し、または前記規則により趣意書の受理を請求することができると解するを相当とする。ところで、職権をもつて原審における国選弁護人選任の経過を調査してみると、原審は、前示のように昭和三一年七月二八日被告人から弁護人選任の請求があつたので、遅滞なく同年八月一日附をもつて第二東京弁護士会にその選定方を依頼したところ、同弁護士会においては指名して交渉した弁護士に次々支障を生じたため著しく遅延し、ようやく同年九月一日に至り弁護士Kを選定したので、原審は同月四日同人を国選弁護人に選任したこと、そして同弁護人は、原審刑事第四部に出頭し記録を閲覧した上、趣意書提出に関し原審に格別の請求をすることなく公判期日に臨み、異議を止めず弁論を終結したことを認めることができる。以上のような経緯にかんがみるときは、本件の場合、原審が弁護士会の右選定通知を待つことなく自ら進んで適当な弁護士を選任せず、または選任弁護人に対し右最終日を変更し趣意書の提出を促さなかつたからといつて、本件における原審の手続をもつて、直ちに裁判所が刑訴三六条に違反し、憲法三七条三項後段により保障された被告人の権利の行使を妨げたというのは当らない（【97】参照）。従つて、論旨は採用することができない」（最判昭三二・六・一九（大法廷）刑集一一・六・一六七三）。

〔98における小谷裁判官の反対意見〕「本件原審の国選弁護人の選任手続は、前掲大法廷判例の趣旨によれば、正に憲法三七条三項刑訴三六条に違反する違憲違法の措置であるといわなければならない」。

〔98における河村又介ほか三裁判官の反対意見〕「国選弁護人の選任が被告人の責に帰することのできない事由によつて遅延した本件において、国選弁護人に更に控訴趣意書提出の機会を与えなかつた原審の措置は、その訴訟手続法令に違反するも

ので、その違法は原判決に影響を及ぼすこと明らかであり、原判決はこれを破棄しなければ著しく正義に反するものと認める」。

【98】における多数意見が、【97】を引用して上告論旨を斥けたことも、あえて驚くにはあたらないであろう。けだし、訴訟の世界を支配しているのは、不確実さ（Unsicherheit）であり、すべての権利（Recht）は、程度の差こそあれ、おしなべて見込（Aussicht）に転化しているからである。

(5)　弁護人の住所氏名の通知　最後に、被告人の請求により弁護人を選任した裁判所は、その弁護人の住所氏名を被告人に通知すべきかという問題がある。高裁判例は、次のようにこれを否定している。【99】は、住所氏名、【100】は氏名についてそれぞれ判示する。

【99】「裁判所が被告人の請求により国選弁護人を選任した場合、弁護人の住所氏名を被告人に通知することはなんら法の命ずるところでない」（東京高決昭二九・二・二三特四〇・二六）。

【100】「中立人は、控訴裁判所が国選弁護人の氏名を中立人に通知しなかつたことを攻撃しているが、裁判所が被告人の請求に基いて国選弁護人を選任した場合でも、その氏名を被告人に通知しなければならないものではないから、もし被告人において選任された弁護人の氏名を知りたいと望むならば……自分の方から裁判所に照会するなど適切な方法をとるべきものである。中立人がそのような方法をとらない以上、国選弁護人の氏名を知りえなかつたとしても、それは自らの過失によるものというべきであつて、他の何人をもとがめる筋合ではない」（東京高判昭三〇・五・一四東京高時報六・五刑一六二）。

【99】および【100】の結論を、あえて非難しようとは思わないが、国選弁護の実状（この点につき、自由と正義一一巻一一号の特集は有益な資料）。と事前準備の重要性とにかんがみるときは、裁判所としても、進んで住所（事務所の方が適当であろう）、氏名を通知する挙に出た方が、むしろ現実的なのではなかろうか（江碕「控訴審における国選弁護人選任の通知と判決言渡の通知」判タ六九号は、この問題に立ち入つた考察を加えている）。

なお、被選任者たる要件、および選任の効力について論ずべき点があるが、これは、国選弁護一般に通ずる問題として、後に述べることとする（一一七頁以下参照）。

二　刑訴三七条による選任

刑訴三七条は、職権による、原則として任意的な弁護人選任の規定である。この種の法規は、旧旧刑訴にさかのぼることができる。もっとも、明治二三年施行当時の旧旧刑訴にはまだ規定がなく、明治三二年の改正で、被告人が年少者（一五才未満）、婦女、聾者、唖者、または精神障害者であるとき、およびその他裁判所が必要と認めるときに、検事の申立または職権で裁判所が弁護人を選任できる旨の規定が追加された（一七九Ⅱ）。旧刑訴は、ほぼこれを承継したが、年少者の範囲を二〇才未満とし、また、老年者（七〇才以上）をも対象に加えて、適用の範囲を拡張した（旧三三五。「検事ノ申立ニ因リ」は「検事ノ意見ヲ聴キ」に改められた）。現行法は、旧刑訴三三五条から、検察官の介入の点を削除したほかは内容を修正せず、ただ「被告人に弁護人がないとき」と「弁護人が出頭しないとき」とを分けて、後者を第一審公判の章の二九〇条に置き、前者は総則編の三七条に移している。

刑訴三七条による選任は、一般には裁判所の裁量に委ねられた任意的なものであるが、被告人が弁護人を選任することができず、さらに心身の欠陥その他の事由で選任の請求もなし得ないという事情が判明したときは、請求はなくても本条で弁護人を選任しなければならず、このばあいは、選任が義務的なものとなる（団藤・条解刑訴八四頁参照）。憲法三七条三項後段との関係で、刑訴三七条が同三六条を補充する役割を果すわけである。その意味では、次の判例もつねに妥当するとはかぎらないことになる。

【101】「刑事訴訟法第三七条は、被告人が未成年者である場合に弁護人がないときは裁判所は、職権で弁護人を附すること

ができると定めているが、右は、行文上明かであるように、必ず弁護人を附さなければならないというのではない」（札幌高判昭二五・三・一四特六・一八三）。

【102】「刑事訴訟法第三七条は、事件の難易、被告人の精神状態等を考慮して、被告人に弁護人を附するか否かを裁判所の裁量に委ねたものであるから、原審が、未成年の被告人に弁護人を附しなかつたとしても、これを以つて違法の措置だということはできない」（東京高判昭二五・五・二三特九・一二）。

なお、規則は、少年の被告人については、「なるべく」刑訴三七条を発動するよう命じている（刑訴規二七九）。さきに、刑訴三七条が刑訴三六条を補充すると述べたのは（前出九二頁参照）、適用の順序まで含めてそういったのではない。どの法条によつても、選任の手続および効果は同じである。刑訴二八九条による選任は、裁判長の命令による点で、裁判所の決定による刑訴三七条のばあいと異なるが、この差異も形式的なものであり、とくに単独裁判官による裁判所のばあいは、実際上えらぶところがない。しかし、次の【103】は、必要的弁護事件について三七条を適用するのは違法であるとする。

【103】「本件のよう〔に、いわゆる必要的弁護事件にあたる〕……場合には、同法第三七条を適用すること自体が間違つて居るのであつて、この場合には同法第二八九条を適用すべきものなのである。……それで……右適用を誤つたことは勿論違法であるけれども、それは、国選弁護人選任の根拠をどの条文に求めるかについて法律の解釈を誤つたに過ぎないのであつて、客観的事実としては、結局国選弁護人を附すべき場合に之を附しているのであるから、その違法は判決に影響を及ぼすものではな〔い〕」（広島高判昭二五・一二・八特六・二〇）。

本件の控訴の趣意は、右の摘示部分だけから判断すると、いかにも形式的なものに見えるが、本件では、被告人が弁護人を私選する旨回答していながら、公判期日になつてもまだ選任していなかつたので、裁判所は当日在廷の弁護士を弁護人に選任して審理を進めたという事情がある。被告人側の懈怠も無視するわけにはゆかないが、控訴審は、「被告人が、私選弁護人を附すると云つて置き乍ら附していないのはどういうわけか、ということを確めた上で、国選弁護人を附するかどうかを決めるのが、より親切妥当な方法であることは勿論である……在廷していた弁護士を国選弁護人に選任したことも、成程万全の措置とは云い難い。成るべく国選弁護人に充分の準備をする余裕を与えるようにしなければならない」と判示した上で、被告人の控訴を棄却していることを附け加えておこう。

三　刑訴二八九条による選任

いわゆる必要的弁護の制度は大陸法の伝統であつて、旧旧刑訴は、「重罪事件」（旧刑法の用語、現行刑法に移行したとき、「死刑、無期又ハ短期一年以上ノ懲役若クハ禁錮ニ該ル罪」と修正された。刑施二九）をすべて必要的弁護事件とした（旧旧刑訴二三七・二六四・二七六）。この範囲を縮減しようとする試みもあつたが（改正草案二六一。富田・刑訴要論三版四一〇頁註一参照）、旧刑訴では、右の短期一年以上の線が維持され（旧刑訴三三四）、現行法に至つて一躍「死刑又は無期若しくは長期三年を超える懲役若しくは禁錮にあたる事件」まで拡張された（刑訴二八九Ⅰ）。この改正で新たに必要的弁護事件となつたものには、加重逃走（刑法九八）、被拘禁者奪取（刑法九九）、騒擾指揮・率先助勢（刑法一〇六）、阿片吸食器具輸入（刑法一三七）、同房屋給与（刑法一三九Ⅱ）、水道汚穢（刑法一四三）、通貨偽造予備（刑法一五三）、公正証書不実記載（刑法一五七Ⅰ）、有印私文書偽造・同行使（刑法一五九Ⅰ・一六一）、有価証券偽造・同行使（刑法一六二・一六三）、公印偽造（刑法一六五）、偽証（刑法一六九）、誣告（刑法一七二）、強制わいせつ（刑法一七六）、賭博場開張（刑法一八六Ⅱ）、墳墓発掘死体損壊（刑法一九一）、特別公務員職権濫用（刑法一九四）、特別公務員暴行陵虐（刑法一九五）、請託収賄（刑法一九七Ⅰ）、自殺関与（刑法二〇二）、同意堕胎（刑法二一三）、業務上堕胎（刑法二一四）、不同意堕胎（刑法二一五）、保護責任者遺棄（刑法二一八）、逮

捕監禁（刑法二二〇）、略取誘拐（刑法二二四）、被拐取者収受（刑法二二七）、窃盗（刑法二三五）、詐欺（刑法二四六）、背任（刑法二四七）、恐喝（刑法二四九）、横領（刑法二五二）、業務上横領（刑法二五三）、贓物故買（刑法二五六Ⅱ）、文書毀棄（刑法二五八、二五九）、建造物損壊（刑法二六〇）などのほか、若干の特別法犯がある。

（一）　必要的弁護制度と憲法三七条三項後段　　現行法のもつ必要的弁護の制度が、日本国憲法のもとにおける刑事弁護制度の一環としての意義を有し、これにふさわしく充実した内容を与えらるべきことは論をまたない（とくに、後出一〇四頁参照）。しかし、もともと大陸法の流れを汲む必要的弁護の構想と、英米法に由来する「弁護人の援助を受ける権利」の観念とは、刑事弁護の中核的な理念において一致するものをもつとはいえ、相互に異質の存在であることは否定できない。それゆえ、憲法三七条三項と刑訴二八九条との間に直接の関連があると考えるのは、むしろ正しくないのである。この点は、次の累次の判例によつて明言されている。

【104】　「如何なる被告事件を所謂必要的弁護事件となすべきかは専ら刑訴法によつて決すべきものであつて所論のように憲法第三一条同第三七条第三項によつて定まるものではない。論旨は右憲法の規定により窃盗被告事件は必要的弁護事件となつたものであると主張するが、何等首肯すべき根拠のない独断にすぎない。従つて新刑訴施行以前に行われた本窃盗被告事件の審理において弁護人の立会なくして審理したとしても所論のような違法はなく、論旨は理由がない」（最判昭二五・二・一（大法廷）刑集四・二・一一四（旧））。

【105】　「いわゆる必要的弁護事件は、弁護権につき憲法上の保障がなかつた旧刑訴法時代にも規定されていたのであり、必要的弁護事件を如何に定めるかは刑訴法上の問題で憲法第三七条三項の関知するところではないこと当裁判所大法廷判決の示すとおりである（【104】参照）。それゆえ、刑訴二八九条が憲法の右規定の具体的表現であるとの主張は採用できない」（最判昭二六・一一・

二〇刑集五・一二・二四〇八）。

【106】「いわゆる必要的弁護事件は、弁護権につき憲法上の保障がなかった旧刑訴法時代にも規定されていたものであり、それは職権で強制的に弁護人を選任するのであるから、必要的弁護事件を如何に定めるかは、刑訴法上の問題で、憲法三七条三項の関知するところでないことは、当裁判所の判例の示すとおりである（【104】参照）。従って、必要的弁護事件において、裁判所が、被告人の意思の如何にかかわりなく、強制的に職権で弁護人を選任することは、刑訴法上の問題で、憲法問題ではないのである。しかし、憲法は、すべての刑事事件について、前記の如く弁護権を保障しているのであるから、必要的弁護事件についても、憲法上の保障があるのであって、被告人が貧困その他の事由で弁護人を依頼できないときは、国に対して弁護人の選任を請求できるのであり、国はこれに対して弁護人を選任する義務を負うのである。従って、この場合における弁護人の選任は、憲法問題である。それゆえに、必要的弁護事件については、弁護人の国選に、刑訴二八九条によるものと、憲法三七条三項後段刑訴三六条によるものとの二の場合があるのであって、前者は純然たる刑訴法上の問題であり、後者は憲法問題となるのである」（最判昭二八・四・一（大法廷）刑集七・四・七一三　評釈、山崎・刑評一五巻二〇事件）。

【104】は旧法事件、【105】は新法事件について、憲法と訴訟法との関係を結論的に判示したもの、【106】はさらに右の関係を深く掘り下げて説いたものである（【106】は【88】Ⅱ【97】と同一事件）。

（二）　刑訴二八九条による選任の必要範囲

(1)　「死刑又は無期若しくは長期三年を超える懲役若しくは禁錮にあたる事件」の意義　法は、必要的弁護事件であるか否かの別を、題目に掲げた基準によって画している。これは、実体法が訴訟について規制的作用を営む一つの場面である。そのばあい、刑について、法定刑か処断刑かの問題があることは、つとに団藤教授によって指摘された（団藤・刑法と刑事訴訟法との交錯一〇頁）。

この点は、緊急逮捕の可否（刑訴二一〇Ⅰ）、必要的保釈の要否（刑訴八九）、合議の法定性の存否（裁二六Ⅱ）、簡易公判手続の可否（刑訴二九一の二）などに関しても問題となるが（公訴時効の期間については、規定がおかれている。刑訴二五二）、実際上重要なのは、必要的弁護かどうかについてである。高裁判例は、以下のように、法定刑が基準となることを明言している。

> 【107】「刑訴第二八九条にいう、長期三年を超える懲役若しくは禁錮にあたる事件であるかどうかを定めるには、刑罰法令の各本条に長期三年を超える懲役若しくは禁錮の刑が規定してあるかどうか、すなわち、いわゆる法定刑を以てその区別の標準とすべきであつて、法律上刑の加重減軽の原由によつて加重減軽を施した刑を標準とすべきではない。けだし、その事件の開廷は弁護人を必要とするかどうかは、事件の軽重に従い、開廷に先だつて、あらかじめ直截簡明に定められる必要があり、そのためには、法定刑を標準とすることが最も合理的であると解せられるからである」（福岡高判昭二五・一・二五特四・一六）。

【107】の理由づけははなはだ簡明であるが、その真意は、団藤教授の次のような主張に遺憾なく表現されているといつてよかろう。「訴訟手続の各段階では、まだ、刑の加重減軽の問題にまで立ち入つていることは期待されない。たまたま、かような問題にすでに立ち入つているとしても、それはきわめて偶然的であり、しかもこれを手続面に反映させるのははなはだ困難である。それにもかかわらずその実体形成の段階における処断刑――とみとめられるべきもの――を規準として手続を行なうべきものとすることは、はなはだ恣意的に流れるおそれがあるばかりでなく、手続の確実性をも害するものといわなければならない」（団藤・刑法と刑事訴訟法との交錯一一一頁）。そして、このような考え方は、実務にも充分浸透していると思われる。ただ、現行法では訴因の制度が導入されたため、起訴の時すでに審判の対象がかなり具体的な形で示されることになつた。刑の加重減軽事由の判断も、一部のものについては、訴因を標準としてある程度確実に行ないうる。その意味で、従来の見解を修正する余地がないわけではない。しかし、政策的に見て何が賢明であるかはさらに検討を要する。次の【108】は、併合罪加重のばあいについて、【107】と同じ結論を示している。

【108】「刑訴法第二八九条第一項にいう『死刑又は無期若しくは長期三年を超える懲役若しくは禁錮にあたる』場合とは、起訴にかかる罪の法定刑が死刑又は無期若しくは長期三年を超える懲役若しくは禁錮となるような場合をいうのであつて、処断刑が長期三年を超える懲役若しくは禁錮となるような場合を包含しないのである。従つて、併合罪につき加重した結果、処断刑が長期三年を超える懲役刑となるような場合には右刑訴法の規定は適用されないのであるから、もとより弁護人なくして開廷することができるわけである。さて、本件は、併合罪の関係にある二つの公務執行妨害罪をもつて起訴されたのであるが、もともと公務執行妨害罪の法定刑たるや、三年以下の懲役又は禁錮の刑であるから、この二つの罪が併合罪として処断されるに当り、その処断刑の長期が四年六月となるとしても、本件の審判には右刑訴法の規定は当然適用なく、従つて、原審が弁護人なくして審判したとて、毫も違法とすべき筋合ではない」（東京高判昭二八・六・二、九刑集六・七・八五二）。

従犯減軽のようなばあいは、むしろ共犯者間の公平という観点から法定刑（むろん正犯の）を基準とすることが望ましいであろう。後掲【112】の事案では、被告人I、同Tは賭場開張図利罪の従犯であるから、処断刑の長期は懲役二年六月となり、これを基準とすれば従犯だけが必要的弁護のわくから外れてしまう。【112】で、「幇助被告事件」の方も必要的弁護事件として処理されているのは、妥当な措置と考えられる（竜岡・最高裁判所刑事判例解説、昭和三〇年度七八頁も、結論的に同旨）。

これとやや似た問題が、いわゆる両罰規定で、本人に罰金刑を、使用人・代理人等に長期三年を超える懲役（又は禁錮）を定めるばあいに生ずる。次の【109】は、本人に対する関係では必要的弁護事件にあたらないとしているが、公訴時効について本人と使用人とを統一的に取り扱おうとする判例（東京高判昭二九・一・二一刑集七・一一・一五）と調和するかは疑問であろう（附記　上掲高裁判決は、最判昭三五・一二・二一（大法廷）によって変更された。田中永司「両罰規定における法人の公訴時効」ジュリスト二一九号）。

【109】「物価統制令第四〇条には、『法人ノ代表者又ハ法人若ハ人ノ代理人、使用人其ノ他ノ従業者ガ其ノ法人又ハ人ノ業務ニ関シ第三三条乃至第三五条第三七条第一号乃至第三七条ノ二又ハ前条ノ違反行為ヲ為シタルトキハ行為者ヲ罰スルノ外其

ノ法人又ハ人ニ対シ各本条ノ罰金刑ヲ科ス」と規定せられていて、この規定は、使用人等の行為に対し、本人（法人又は人）を処罰することを定むると同時に、之に対する刑罰を定めたものであるから、この場合に於ける法定刑は、右各本条の罰金刑に限られているものといわねばならぬ。従つて、被告会社に対する本件被告事件は、刑事訴訟法第二八九条第一項に規定する必要弁護の事件に該当しないことが明らかである」（札幌高函館支判昭二六・二・五刑集四・二・八三）。

簡易裁判所で審理される事件については、科刑権の制限が設けられている関係上（裁三三Ⅱ。この制限の性質は管轄権の定めに近い。）（平野・刑訴（法律学全集）六一頁註一参照）、刑訴二八九条の適用外としてもよいのではないかという疑問を生ずる。しかし、立法者は、反対の見解をとり（刑施五条参照。刑訴施行後一年間をかぎつて、被告人の適式な同意があれば刑訴二八九条を簡裁に適用しないとした規定）、司法実務もこれに同調した（質疑回答集・刑事裁判資料六七号二一八頁参照）。なお、【110】は、「選択刑として罰金が定められている罪」（裁三三Ⅰ2参照）について次のように判示している。選択刑としての罰金の定めのない賭博場開張・窃盗・横領・贓物故買については、もちろんということになろう。

【110】「刑事訴訟法第二八九条は、法定刑として同条所定の刑が定められている罪の事件には、すべてその適用があるものと解するのが相当であるから、かりに、長期三年を超える懲役若しくは禁錮の外、選択刑として罰金の定めがある罪について、罰金以外の刑に処すべき場合でも、同条が適用されることは当然であるというべきである」（東京高判昭二六・九・二九刑集四・一二・一五八三）。

(2)　「審理する場合」の意義　弁護人なしでは開廷できないとされるのは、法文上、前項の事件を「審理する場合」であるから、公判期日の手続であつてもそのすべてには関係しない趣旨がうかがわれる。そこで、その範囲が問題となる。

公判期日の手続は人定質問から始まるが（刑訴規一九六）、これについては次の判例がある。

【111】「刑事訴訟法第二八九条に所謂『審理』とは本案事件を審理する公判を指称するものに外ならないから、原審が弁

護人立会なくして被告人の人定尋問を行なつたからといつて何らの違法がない」（名古屋高判昭二五・七・二〇特一二・七〇）。

人定質問の段階では弁護人がなくとも違法でないという【111】の結論は、右の判示で明瞭であるが、その理由は、右摘録部分の前に「基本的人権の保障」を害しないという趣旨が示されている。必要的弁護の範囲を形式的に拡張してみても実質的な効果を伴なうものではないから、その意味で判旨を是認してよいが、冒頭手続の「中立性」が、誇張され易いことは注意を要する点である。

次の最高裁判例も、おそらく【111】の結論を支持するものであろう（違憲でないとしていることは明らかだが、違法でないことも認めたのか、疑問の余地はある）。

【112】　「憲法三七条三項違反の点は、本件においては、不法に弁護権の行使を制限したと認むべき何らの証跡のないことは原審判示のとおりであ〔る〕」（最決昭三〇・三・一七刑集九・三・五〇〇）。

〔原審判示〕「被告人I及同Tに付ては弁護人の選任なくして第一回公判期日が開廷され、違法な審理手続が行われているかどうかを、記録に依り調査すると、第一回公判期日に於ては、被告人等の人違でないかどうかを確める為の質問のみが行われ、検察官は起訴状の朗読に入らず、単に関連事件である被告人K外一名に対する賭場開張図利被告事件を被告人I外二名に対する賭場開張図利幇助被告事件に併合して審理されたい旨請求したのみであつて、何等実体的審理が行われて居らず、原裁判所は、要弁護人事件の公判手続を遂行する為被告人I及同Tの弁護人選任を俟つ旨を以て公判期日を続行し、其の後第二回公判期日に於て右被告人両名の弁護人の出頭を得た上、同弁護人から何等の申立もなかつたので、前示両事件の併合決定を為したこと明白であつて、之を以て不法に弁護権の行使を制限したものと謂うことは出来ない」（名古屋高判昭二九・八・三〇刑集七・八・一二六〇）。

【112】では、人定質問のほかに、検察官からの併合審理の請求も行なわれている点で【111】との差異があるが、弁論の分離併合は、もともと公判期日外にも——請求だけでなく決定も——できるのであるから重要な差異ではない。

弁論の分離については、次の【113】がある。

【113】　「刑事訴訟法第二八九条には弁護人がなければ開廷することができない場合が規定されているけれども同条は事件を審理する場合の規定であるから、判決を宣告する場合には適用がなく、従つて弁護人が在廷しなくとも判決の宣告をするを妨げないのである。そして、判決の宣告について弁護人の在廷を必要としない以上、これに比べてむしろその重要性の少いと認められる弁論分離決定の言渡について、弁護人の在廷を必要とするものとは到底考えられない」（大阪高判昭二六・六・一八特二三・七五）。

この【113】の判旨に対しては、次の【114】が先例としての役割を果している。【114】は、弁論の再開に関する事案である。

【114】　「原審ハ、一旦弁論ヲ終結シ判決言渡期日ヲ指定シタル後、公判廷外ニ於テ、職権ニ依リ弁論ノ再開及証人鑑定人ノ訊問ヲ決定シ、判決言渡期日ニ於テ、弁護人ノ出廷ナクシテ右決定ヲ言渡シ、更ニ期日ヲ指定シ、被告人及弁護人等ヲ召喚シタル上右証拠調ヲ為シタルモノナルコト記録上明白ナリ。而シテ右ノ如キ決定ノ言渡ニ付テハ、縦令刑事訴訟法第三四三条ニ規定セル事件ニ関スルトキト雖、必シモ弁護人ノ在廷ヲ要セザルモノトス。蓋シ同条ニ於テ其ノ規定ノ事件ニ付弁護人ノ在廷ヲ必要トシタル所以ハ、叙上事件ハ重刑ニ該ル案件ナルヲ以テ、被告人ノ為弁護人ニ依リ裁判ノ基本トナルベキ弁論ニ於テ十分ニ弁護権ヲ行使セシメントスルニ在リト解スベク、又同条第一項但書ノ規定ニ依リ叙上事件ノ判決言渡ニ付テハ弁護人ノ在廷ヲ必要トセザルコトニ鑑レバ、判決言渡ニ比シ其ノ重要性寧ロ少キモノト為スベキ叙上決定ノミノ言渡ニ付、弁護人ノ在廷ヲ必要トスルモノトハ到底解スベカラザレバナリ」（大判昭八・八・一〇刑集一二・一四二九(旧)）。

公判期日の手続の終極点をなすのは、通常、判決の言渡であるが、旧刑訴には、【114】の末尾にいうように、判決の言渡については必要的弁護の規定を適用しない旨の明文があった（旧刑訴三三四Ⅰ但書）。現行法は、この但書を削除したが（「審理する場合」の語は、新たに入った）、その趣旨は不変であると思われる（横井・新刑事訴訟法逐条解説Ⅲ四五頁参照）。このことは、高裁判例【113】でも当然の前提とされているが、最高裁判所は、次の【115】で、正面からこれを肯定した。

【115】「いわゆる必要弁護事件を定めた刑訴二八九条は、旧刑訴三三四条一項但書のように明文をもつて判決宣告の場合を除外していないけれども、旧法が云々の『事件ニ付テハ弁護人ナクシテ開廷スルコトヲ得ス』と規定していたのを、刑訴二八九条一項は、云々の『事件を審理する場合には、弁護人がなければ開廷することはできない』と書き改めたのであるから、判決宣告のためのみに開く公判廷には、必ずしも弁護人の立会を必要とした趣旨でないと解すべきこと、旧法と同様である。けだし、被告人が弁護人を選任するのは主として公判における弁論のためであり、公判の審理においてよく攻撃防禦の方法を講じ、被告人の利益を保護するために外ならないのであるが、判決宣告の公判期日は、すでに攻撃防禦の方法が尽され弁論が終結した後の期日であるから、弁護人にその期日を通知して出頭の機会を供するかぎり、必ずしもその立会を要するものと解しなくとも被告人の権利保護に欠けるところはないからである」(最判昭三〇・一・一一刑集九・一・八、評釈、田宮・警察研究三〇巻一号)。

【115】に対しては、その「判例」としての意義について、井上教授の鋭い分析がある(井上「判例とは何か」判例学説刑事訴訟法三二三頁以下)。教授は、【115】の判決理由の中から、判決言渡期日は弁護人に告知されていたこと、弁護人は、変更申請もしないで右期日に欠席したことの二点を摘出し(前掲判旨に続く部分にある)、【115】は、かような二つの重要事実を前提として、「被告人の権利保護に欠けるところはない」と結論したにとどまると説かれた。筆者は、いわゆる判例の英米法的理解がわが国においても妥当するものであるかについて、多少の疑問をもつが、その点はしばらく措き、当面の問題にかぎつて論ずる。【115】において、必要的弁護事件の判決言渡期日は、弁護人に通知し、かつ、正当な理由のある変更申請があれば考慮すべきであるかどうかが、一つの論点となつたことは認めてよい(後出一六二頁参照)。しかし、必要的弁護事件の判決言渡期日は、弁護人がなければ開廷することができないかどうかも、同時に争点となつていることは明らかである。二つの問題の性質は、弁護権の保障という大局において一致するとはいえ、もとより同一ではない。そして、この事件で弁護人が争つたのは、後者すなわち刑訴二八九条一項の適用範囲の問題である。

通知等の点は、もともと争いの対象にはなりえない。なぜなら、本件では、適法な通知が行なわれており、変更申請の方はなされていないからである。そこで、最高裁判所は、刑訴二八九条一項の点について明確な判断を与え、かつその判断の正しさを裏づける意味で、通知等に関しても言及した。したがつて、「判決言渡期日が告知されていなかつた」ばあい、あるいは「公判期日の変更申請があつたにもかかわらず、申立が容れられないで、判決言渡があつた」ばあいにどうなるかの判断は、教授がいわれるとおり、本判決とはかかわりがない。【115】の趣旨とするところは、必要的弁護事件であつて、判決宣告のためのみに開く公判廷には、必ずしも弁護人の立会を要しない、という判断を示したところにある。これに、適法な通知の存在等の限定を加えて理解すること自体が、誤まりだとは思われない。しかし、【115】をもつぱら通知等の問題として把えるというところまでゆくと、判例の意味は屈伸を免れないことになろう。

(3)　「弁護人が出頭しないとき、又は弁護人がないとき」の意義　被告人に（私選の）弁護人があり、かつこの弁護人が出頭すれば、必要的弁護の問題はまず生じない。その意味では、刑訴二八九条の発動は補充的なものである。しかし、これについても二、三の点は論じなければならない。被告人が弁護人選任を辞退するばあいには、刑訴二八九条を適用しないでもよいか。旧法事件について、最高裁は、次のように判示してこれを否定し、適用すべきものとした。

【116】　「原審においては、被告人は自ら弁護人を選任せず、裁判長も職権を以て弁護人を付することなく、結局、弁護人の立会なくして、公判を開廷し、審理判決をしたことは、原審公判調書によりあきらかである。もつとも、同調書によれば『被

告人Yは弁護人の選任の請求はしない旨述べた』との記載あり、被告人が弁護人の選任を辞退したものとみられるのであるが、刑事訴訟法が、重罪事件について弁護人の立会を必要とする理由は、一面において、被告人の利益を擁護するためであることは勿論であるが、また一面においては、公判審理の適正を所期し、ひいては国家刑罰権の公正なる行使を確保せんがためでもあるのであるから、たとえ、被告人がこれを辞退した場合でも、裁判長はそれにかかわらず、職権をもつて弁護人を附するものと解しなければならない」（最判昭二三・一〇・三〇刑集二・一一・一四三五(旧)、評釈、定塚道雄・刑評一〇巻二一事件）。

【116】の判旨は、伝統的な必要的弁護の理念を正しくえがき出している。と同時に、ここには英米法的な刑事訴訟観との間の微妙なズレが示されている。「被告人の利益」と「公判審理の適正」とは、決して完全な同一物ではない。その違いが、公訴時効の考え方にも、迅速な裁判の理由づけにも、裁判の確定力に関する理論にも、要するに訴訟手続のいろいろな場面で発現してくるのである。法典の改廃はどのように急速にも行なわれうるが、その実質的な浸透は、かすに年月をもつてしなければならない。次の【117】は、新法について、【116】と同一の結論を示したものである。現段階における判例として、不当ではないであろう。

【117】「本件記録を精査するに、被告人は、弁護人を選任しても居らず、国選弁護人もなく、原審は、第一回公判期日において、被告人に『私は弁護人を依頼しませんし、国選弁護人も必要としません』と陳述させ、弁護権を放棄させたように見受けられる。しかし、必要的弁護事件では、被告人でも、弁護権を放棄して、弁護人なくして審理の続行を求めることはできないものと解すべきものである。従つて、原審は、弁護人を必要とする事件に、弁護人なくして、公判を開延し審理判決した訴訟手続上の違法があり、この違法は、被告人の利益を保障する点から見て、見逃すことができない」（名古屋高判昭二九・一二・二五高裁特報一・一三・七五三）。

次に、従来論議された問題として、被告人に特別弁護人があるとき、および、弁護人が審理中退廷したときには、刑訴二八九条を適用しなければならないかどうかに論及しておこう。前者については、消極に解する旨の法曹会決議がある（昭二七・四・二三、法曹三五号一一四頁）。この解釈は、刑訴二八九条の文理（単に「弁護人」とある）に基いているが、特別弁護人の性格と、現行刑訴のもとにおける弁護人の役割とも合せ考えるときは、資格を有する弁護人と特別弁護人とをつねに同視しうるかには疑問がある。しかし、実質的に見て、特別弁護人が出頭しており、かつ被告人に国選弁護を求める意思および理由がないばあい、なお刑訴二八九条を発動する必要は認め難い。結論としては消極説に従つて差し支えないであろう。後者についていえば、文理的には積極説の方に根拠があり、消極説は、刑訴三四一条の類推という形で刑訴二八九条の適用の制限を主張しうるに過ぎない。もともと、弁護人の強いられた退廷、あるいは無許可の退廷というような事態は、異常なものであり、訴訟法に直接の規定を見出せないのは、むしろ当然のことである。消極説は、かような異常事態の発生による審理の閉塞を救うという長所をもつている。しかし、弁護人を排除したままあえて審理を強行することが、刑事裁判の目的達成に資するばあいは、むしろ稀であろう。訴訟法が、被告人の不協力を予想していることは、明らかであるが（刑訴三四一のほか刑訴二八六の二参照）、被告人と弁護人とはもとよりその地位を異にする。その意味において、刑訴三四一条は、制限的に解釈すべきであり、弁護人に準用することはできない（同旨、横川・刑事裁判の研究（昭二八）二〇一頁）。刑訴二八九条の適用については、積極説をとるべきであり、さらに進んで必要的弁護事件でないばあいにも、これを類推適用すべきだということになる（刑訴三七・V参照）。

以上に取り上げたのは、刑訴二八九条の適用の要否の問題であつたが、適用の可否についても若干の疑問がある。「弁護人が出頭しない」ことが判明するのは、往々にして公判期日の直前であろうが、このとき直ちに刑訴二八九条を発動して、手近な弁護士を弁護人に選任してよいであろうか。次の【118】および【119】は、いずれも慎重な態度を示しながらこれを肯定している。

【118】「記録に徴すれば、昭和二八年一二月一日の原審第七回公判期日に被告人Sの弁護人たるMが出頭しなかつたので、裁判所は、刑事訴訟法第二八九条第二項により、当日出頭していた被告人Rの弁護人たるNをSの国選弁護人に選任した上、当日の訴訟を進行したことを認め得る。元来弁護人において公判期日の変更を必要とする事由が生じたときは、裁判所に対し、その事由及びそれが継続する見込の期間を具体的に明らかにし、その疎明を附して期日の変更を請求しなければならないことは、刑事訴訟規則第一七九条の四に規定されているところ、M弁護人は前記第七回公判期日前にその旨の請求をしていないことは、記録上明らかである。しかも、Sの原審における弁護人はM弁護人のみであつたから、右第七回公判期日において、同弁護人の予期しない突然の欠席のため、裁判所は、当日召喚により出頭した証人三名を取り調べその他の証拠調をなす等訴訟促進のため、やむを得ず応急の措置として、当日被告人Rの弁護人として在廷した弁護士を、Sのため国選弁護人として選任したものであるといわねばならない。しかし、その選任については、被告人Sを初め、その他の被告人及び弁護人等に何らの意見、異議なく、又その選任が、右被告人等に対しその防禦権の行使を妨げ或は被告人の利益を害する虞があつたと認むべき事情も、記録上発見することを得ないから、原審裁判所の訴訟手続には、所論のような法令違反はない」（東京高判昭二九・七・二九刑集七・七・一一二二）。

【119】「所論は、原裁判所が、被告人の選任した弁護人があるのに、国選弁護人を選任して審理を進めた点を非難するけれども、記録によれば、本件は、いわゆる勾留事件であるところ、原審の私選弁護人は、適法な公判期日の通知を受けながら、正当な事由なく二回にわたつて公判期日に出頭しなかつたため、原裁判所において、国選弁護人を選任して審理を進めたものであることが窺われるのであるから、原裁判所の右措置は相当であつて、少しも非難すべきかどがないばかりでなく、原審第三回及び第四回公判期日には、右私選弁護人が自ら出頭して弁論をしているのであるから、原裁判所が不当に審理を急いだため、犯情につき十分取調を受けることができなかつたとの所論は当らない」（東京高判昭三〇・五・一四高裁特報二・一〇・四七二）。

刑事訴訟の当事者主義化に伴つて弁護人の任務が質的にも変異した現在、無準備のいわゆる在廷弁護士を弁護人に選任するごときは、決して望ましいことではない（前出八四頁以下参照）。それだけに、弁護人としても、公判の円滑な開廷に協力する責務は重いわけである。この点は、近時、いわゆる継続審理の必要性が強調されるに及んで、いつそう明白となつた。規則一七九条の五、および同条の六は、それぞれ私選弁護人および国選弁護人差し支えのばあいに対する処置を規定し、裁判所ないし裁判長に国選弁護人の解任、選任権を与えて、審理の渋滞を防止しようとしている（横山「国選弁護人の解任」愛知学院法学研究二巻一・二号（昭三五）参照）。しかし、いずれのばあいにも、「著しく被告人の利益を害する虞があるときは、この限りでない」としていることに注意しなければならない。次の【120】は、裁判所が、これらの権限を行使した事例である。直接の争点は、弁護人からの公判期日変更の請求がないのに、裁判所が職権を発動したのは適法かというにあつた。控訴審は、次のように判示して、原審の措置を是認している。

【120】「弁護人より公判期日変更の請求がない場合においても、弁護人に公判期日の変更を必要とする事由が生じ、それが長期に亘り審理の遅延を来たす虞があると思料するときは、裁判所は、職権をもつて、同規則第一七九条の五の第二項第三項の規定に従い、国選弁護人を選任し、或は同条の六の第二項の規定に従い公判期日の変更を必要とする事由の生じた国選弁護人を解任し、新たに国選弁護人を選任して訴訟手続を進行し得るものと解する。そして本件の場合は、被告人等より、T弁護人が病気にて長期の療養を必要とする故、新たに国選弁護人を選任されたい旨の申出あり、同弁護人の病状が脳溢血であることを思えば、同弁護人の出頭を待つて公判を開くにおいては審理の遅延を来すことが明らかであるから、審理の遅延を来すものと認めて、……新たに両被告人のため弁護士Kを国選弁護人として選任し、訴訟手続を進行したのは相当な措置といわなければならない」（札幌高判昭二六・六・二〇刑集四・七・七五三）。

【120】が、被告人側から選任申出のあつた事実、T弁護人の病気が長期にわたるものである事実の二

点を挙げて職権行使の根拠としているのは、正当な判断であろう。審理の促進は重要であるが、しかし、裁判所が弁護人の選任に干渉するという印象を与えることとなつては、訴訟の生命である公平感が失われてしまう。次の大審院判例【121】は、私選弁護人不出頭のばあいにそなえて、「予ジメ」国選弁護人を附してもよいとしたものであるが、単なる不出頭の可能性を理由とするのであれば、行き過ぎと評しなければならない。

【121】「本件被告ニハソレゾレ自選ノ弁護人アリト雖、其ノ差支アリテ出廷シ難キ事情アランコトヲ虞レ、裁判長ニ於テ予ジメ其ノ際ニ処スル為ノ官選弁護人トシテM弁護人ヲ指定シタルモノニシテ、刑事訴訟法第三三四条第二項ハ、予ジメ斯ノ如キ指定ヲ為スヲ禁ズルモノニアラズ。之ヲ実際ノ事例ニ徴スルモ、被告人弁護人ノ数多クシテ審理回数永キニ亘ル案件ニ於テハ、弁護人ノ差支ノ生ズル事多キヲ以テ、当該被告人ニ対スル審理弁論ノ終リタルニ拘ラズ他被告人ニ関スル部分終了セザルトキハ、他ノ弁護人ニ立会ヲ委任シ、又ハ予ジメ斯ノ如キ場合ニ処スル臨機ノ処置トシテ特定ノ弁護人ニ全被告人ノ弁護人タルコトヲ委任スルノ協議ヲ為シ、裁判所モ亦此ノ趣旨ニ依リ特定ノ弁護人ニ予ジメ官選弁護人タランコトヲ求ムルノ例ニ乏シカラズ。斯ノ如キハ朝野ノ機関相協力シテ訴訟ノ進行ヲ謀ルモノニシテ善美ナル法廷慣習ト謂フベク、法律上之ヲ無効トスベキ理由ナキコト前述ノ如クナルヲ以テ、論旨ハ之ヲ採用スベキモノニアラズ」（大判大一五・一二・一六刑集五・五八一（旧））。

ただ、旧刑訴のもとでは、弁護人の選任に関する法制が、現行法ほどには整つておらず、被告人に対して告知や照会を行なうこともなかつたので、弁護人が私選されるかどうかがある程度不安定であり、そのため裁判所の側で予備的に選任する例は稀でなかつたようである。次の【122】はこのことを示すものであるが、現在ではいうまでもなく事情は著しく異なつている。

【122】「刑事訴訟法第三三四条ニ依リ、裁判長ガ職権ヲ以テ弁護人ヲ附スルハ、被告人ガ弁護人ヲ自選セザル場合、又ハ自選弁護人ノ出頭セザル場合ニ於テ之ヲ為スモノナルコト、同規定ニ徴シ明瞭ナルガ故ニ、被告人ガ弁護人ヲ選任セズ、又ハ其ノ

自選弁護人ノ出頭ナキコトヲ条件トシテ、之ヲ選任スルコトヲ得ベキモノニシテ、此ノ趣旨ハ、当院判例ノ是認スルトコロナリトス」（大判昭二・一二・一五新聞二七九七・一六(旧)）。

(4)　とくに控訴審について——附上告審　第一審公判に関する規定は、原則として、控訴審の審判に準用される（刑訴四〇四）。必要的弁護に関する刑訴二八九条の規定も、むろんその例外ではない。しかし、現行刑訴への移行、とくに控訴審の構造的変化に伴つて、刑訴二八九条の単純な準用でよいかどうかが問題視されるようになつた。すなわち、同条は、弁護人選任を「開廷」の要件としているに過ぎないため、単なる準用であれば、控訴審においても、公判期日を開く前提として弁護人選任を考えれば足りることになるが、控訴審の事後審化に相応ずる控訴趣意書の重要性にかんがみれば、むしろ趣意書作成の際に弁護人の援助を与えることの方が、より必要度が高いといえる。したがつて、刑訴二八九条の「開廷」を、たとえば、「控訴趣意書差出最終日の指定」の如く読みかえて準用すべきではないかという疑問が出てくるわけである。この点につき、すでに旧法の上告審においても、同様な問題が存在した筈であるが、筆者は、さしあたり旧法下の実情を明らかにすることができない。しかし、実務に堪能な学者から、「上告審ニ於ケル弁護人ノ任務ハ、公判期日ニ於ケルヨリモ、寧ロ上告趣意書ノ作成ニ重キヲ置クベキモノナルベシ」（平井・刑訴法要綱(昭七)六四一頁）との発言がなされていることは、前記の点について充分の考慮が払われていたことを推測せしめるひとつの資料ではありえよう。なお、旧旧法においては、重罪事件の上告に関し、「被告人自ラ弁護士ヲ選任セサルトキハ上告裁判所長ハ其裁判所所在地ノ弁護士中ヨリ之ヲ選任ス可シ」（旧旧刑訴二七六）という規定が設けられており、これが、第一回公判期日の通知（旧旧刑訴二七七）、趣意書提出期限(旧旧刑訴二七八)等の規定に先行していることから見て、上告趣意書作成のために選任するのだという解釈が当然視されていたのではないかとも思われる。旧法への移行に際し、第一審公判および控訴審に関する規定を一般的に上告審へも準用する旨の規定が新設されたので(旧刑訴四五五)、右二七六条に相当する規定は、旧法には置かれなかった。そのため、法律関係に若干の不明確さをもたらしたのではなかろうか。

さて、現行法のもとでは、問題はまず控訴審において生起する。新法施行後この問題に当面した高等裁判所の実務は、必ずしも統一されていたわけではないが、多くは開廷要件説に従い控訴趣意書作成のために選任する必要はないとする態度をとった。次の【123】は、これを明らかにしたものである。

【123】「刑事訴訟法……第二八九条……同法第三八八条……によれば、弁護人を公判開廷及び弁論に必要なものとしてはいるけれども、右所謂必要的弁護の被告事件における控訴趣意書の作成提出について特に弁護人によらなければならない旨の規定はないのであるから、控訴裁判所は、所謂必要的弁護の被告事件につき、国選弁護人を選任して、同弁護人に控訴趣意書を差出させなければならない義務はなく、刑事訴訟法第四〇四条が控訴審の訴訟手続に準用する第二七二条の規定に準じ、訴訟記録の送付を受けたら、同条但書の場合を除き、遅滞なく弁護人選任に関し少くとも同条所定の事項を被告人に通知し、以て、やがて開廷されることあるべき公判期日の開廷及び弁論に備え、その期日までに私選弁護人の選任がなければ、裁判所において国選弁護人を選任して、公判の弁論に支障なきを期すればそれで足りる筋合である。……従って……原裁判所が、国選弁護人を選任することなく、右最終日までに控訴趣意書を差出さなかつたことを理由に、……決定で本件控訴を棄却したことは、まことに正当であつて、毫も批議せらるべき限りではない」(東京高決昭二五・八・一八特九・一二三)。

【123】と同じ趣旨は、大阪高決昭二六・五・二八(刑集四・五・五二一)、東京高決昭三〇・一・二四(刑集八・一・二四)などでくりかえされた。いずれも、必要的弁護事件において、弁護人を選任しないまま、被告人の控訴趣意

書不提出を理由に、刑訴三八六条一項一号を適用して、控訴を棄却した原決定を支持し、異議申立を棄却したものである。

一方、最高裁判所も、右に述べたような高裁判例の態度に反対せず、これを是認するかに見えた。前に掲げた【96】から【98】に至る各判例は、いずれも必要的弁護事件であり、かつ控訴趣意書提出最終日まで弁護人が選任されなかつた事案である。【96】は、第一小法廷の決定であるが、以下最決昭二六・二・九（刑集五・三・三九七）では第二小法廷が、また最判昭二六・一一・二〇（刑集五・一二・二四〇八）では第三小法廷が、それぞれ、必要的弁護事件において、弁護人が控訴趣意書を作成しえなかつたとしても、刑訴二八九条の違反ではないとした。右第二小法廷の事案では、控訴趣意書提出最終日の通知の際に弁護人がなかつたというにとどまり、最終日の一三日前に私選弁護人が選任されているが、第三小法廷の事案（前出【105】と同一事件）では、控訴公判期日の二日前に選任されており、控訴趣意書作成の機会は全く与えられていない。したがつて、ここでは、前記【123】のごとき高裁判例は、そのまま維持されたと見られるのである。

【97】（【88】と同一事件）の大法廷判決に至つて、若干の変化が始まつた。多数意見は、問題をもつぱら憲法三七条三項との関連において論じたので、控訴審における刑訴二八九条の意義には説き及んでいないが、少数意見の中で、この点に対する配慮が示されている。次に、谷村、小谷両裁判官の補足意見を掲げよう。

〔97における谷村裁判官の補足意見〕「控訴審において、いわゆる必要的弁護事件について被告人に弁護人のない場合に、

国選弁護人の選任は如何なる時期までにすべきかについて問題がある。刑訴二八九条の規定を以つて、控訴審においても第一審と同じく、弁護人を附することは開廷の要件に過ぎないから、開廷の時に弁護人が立会えば足りるとする見解があるが、この見解は正しくない。同条は第一審の規定であるから、控訴審においてはその審理手続に順応するように解釈して準用しなければならない。条文の規定をそのまま控訴審にあてはめることは準用ではない。ところで、控訴審では、公判期日における弁論は控訴趣意書に基いて弁護人がこれをしなければならないのであり、控訴趣意書は裁判所所定の期日までに提出しなければその効力はないのである。従つて、被告人の防禦のため充分に弁護権の行使をさせるには、審理の主たる対象となる控訴趣意書を所定の期日までに提出させ、これに基いて弁論をさせるのでなければ弁護人を附する意味はない。従つて控訴裁判所は、弁護人を国選する場合は、趣意書提出に間に合うよう適当な時機に選任しなければならないのである。即ち、刑訴二八九条の開廷とあるのは、控訴審においては、弁護人に控訴趣意書提出の機会を与えるという意義に読みかえて準用すべきである。かくして始めて憲法三七条三項後段の趣旨に副うのである」。

〔97における小谷裁判官の補足意見〕「原審の弁護人選任の時期については、刑訴法令違反の違法があるものと私は信ずるものである。問題の焦点は、必要的弁護事件の処置手続に関する刑訴規則一七八条が、同二五〇条により必要的弁護事件の控訴審にも準用（厳格にいえば同条一項後段を除き）があるか否かの点である。……私の結論を先に掲げると、規則一七八条は、控訴審にも準用すべきものであると信ずるものである。……新刑訴の控訴審は、いわゆる爾後審の制度に変革された結果……控訴趣意書こそ新刑訴の控訴審における唯一の義務審判の対象となるものである。それにも拘らず、控訴趣意書の要作成期間内に全く弁護人が附されなくてもよい新刑訴の精神とは、到底解することはできない。……必要的弁護事件の制度が設けられていないならば議論は別であるが、いやしくも弁護人のあることを必要とする制度であるとする以上は、その弁護権の完全な行使のできる時期に弁護人を選任することを期しておる法の精神と解することは、ほとんど自明の理である……。もしそれ国選弁護人請求権の濫用、それに伴う上訴権濫用の弊、その訴訟費用……執行の困難……等による国費負担の問題等を考えるときは、国政上相当重要な問題であるのである。されば基本的人権の保障と国選弁護制度との相関性、殊に必要的弁護事件の罪質の範囲を如何に定むべきかは、慎重検討を要する立法上の問題であるが、それは決して現行刑訴解釈の問題ではないのである。……されば本件のように、もはや実質的弁護権を行使することのできない時期に国選された弁護人は、（1）裁判所に対し新たに規則二三六条所定の手続（いわゆる指定替）の施行を請求し得るものと解すべく、（2）もし右手続施行の認容され

ないときは、国選を辞することができるものと解するものである。否、右は弁護人としての良心と責任上当然の措置と信ずるものであつて、従つてこの場合規則三〇三条の適用あるものではない（また弁護士法二四条同五六条等も適用がない）と信ずるものである。（3）なお、規則二三八条は、本件のような場合に適用すべき規定とは解し難いのである」。

右に示した両裁判官の意見は、控訴趣意書の重要性を強調されている点において共通するのみならず、規則一七八条の控訴審への準用を説かれる点において一致しているのである（前出七九頁の谷村意見参照）。とくに、小谷裁判官は、控訴審が規則一七八条を励行することによつて、刑訴二八九条の要求がおのずからみたされるという見解に立ち、これこそ「問題の焦点」と説かれたのだと思われる（ただ、刑訴規一七八条に二項三項が追加され、施行されるに至つたのは、昭和二六年一月四日であり、本件の原手続当時には、単に照会だけが規定されていたことを注意しなければならない）。続く【98】の大法廷判決では、棄却・破棄の意見が八対五に分れ、注目をひいたが、論議は憲法三七条三項の解釈をめぐつて争われたので（前出九〇頁以下参照）、刑訴二八九条の問題については、次に示す垂水裁判官の補足意見の中で言及されているにとどまる。垂水裁判官は、原則的には控訴趣意書作成の機会を与えることが必要だとしながら、弁護人自身の態度を問題にし、選任が遅れても直ちに違法ではないとされた。

〔98における垂水裁判官の補足意見〕「控訴審においても、必要的弁護事件において、国選弁護人選任を必要とする刑訴法（三六条、二八九条）の趣旨は、単に訴訟の遅れた時期においてでも弁護人を付けさえすれば足りるというのでなく、弁護人をして、控訴審の重要段階において、被告人の防禦のため必要有利な活動をさせるにあるのであるから、〔控訴趣意書差出最終日が切迫または到来した時期に選任するようなばあいには〕、控訴審の審判の基礎をなす趣意書提出の時間的余裕を与えるため、一般に、最終日延期の指定をすることは、被告人の防禦権のため必要であること疑ない。しかし、趣意書差出最終日が切迫若くは到来してから選任を受けた国選弁護人が、即日記録閲覧等により、（1）最終日に自ら趣意書を提出した場合、或は、（2）すでに原審弁護人が提出した趣意書若しくは被告人が最終日前に提出した趣意書に記載された以外に控訴趣意として主張すべき点を発見しないため、弁護人自身の趣意書提出の必要がないと認めたような場合……にまで、弁護人の意思、態度如何

にかかわらず、最終日が切迫若くは到来してから弁護人を国選したとの一事をもつて、必然的に防禦権を制限したものということはできないと考える」。

以上のような経過を背景にして、最高裁判所は、規則一七八条一項前段、および同条三項が、控訴審にも準用されると明言するに至った。次の【124】がそれで、前述した小谷裁判官の補足意見が、第二小法廷の他の裁判官によつて支持されたことになる。

【124】「本件記録及び当裁判所が職権により調査した結果によれば、原審は右被告人Mに対し、控訴趣意書提出最終日を昭和二九年一二月二〇日に指定する旨の通知書と共に弁護人選任の照会書を同年一一月二〇日発送し、翌日同被告人においてこれを受領したこと、右弁護人選任の照会書には七日以内に回答すべく期限が定められていたこと、同被告人は所定の期限内に何等回答することなく、又弁護人を私選することもなく、自ら控訴趣意書を作成して前記控訴趣意書提出最終日までに提出したこと、原審は第一回公判期日を昭和三〇年九月一四日午前一〇時と指定し、その召喚状を同年八月四日被告人に送達したこと、原審裁判長は右第一回公判期日より六日前である同年九月八日弁護人Sを国選弁護人に選任したものであること明らかである。そして本件は窃盗被告事件であるから、必要的弁護事件であるこというまでもない。されば原審裁判長は、刑訴規則二五〇条により控訴審にも準用されるものと解すべき同一七八条一項前段、三項の規定に従い、前記の如く弁護人選任の照会に対して所定の期限内に右被告人から回答がなく、又弁護人の選任もなかつた以上、直ちに同被告人のため弁護人を選任しなければならなかつたものといわなければならない。しかるに原審裁判長は、ここに出でず、前記の如く控訴趣意書提出最終日を経過すること八カ月余にして始めて国選弁護人を選任したのであるから、その措置は右条項に違反したものであること所論のとおりである」（最決昭三三・五・九刑集一二・七・一三五九）。

第二小法廷は、右のように判示したのち、しかし本件の事案は簡単で、被告人は第一審公判において自白しており、また右国選弁護人は原審第一回公判期日に出頭し、被告人提出の控訴趣意書に基いて異議なく弁論し、そのまま結審となつている事情があるから、原判決を破棄する必要はないとして、結局上告を棄却した。しかし、本件の判示が、高等裁判所の実務に及ぼす影響は、無視できないものがあろう。

もつとも、【124】の要求するところは、控訴審は、必要的弁護事件について、規則一七八条二項で自ら定めた回答期間内に、回答または選任がなかつたばあい、「直ちに」弁護人を選任すべきだというにとどまる。したがつて、控訴趣意書提出最終日の通知をするにあたつて、弁護人の選任が必要なわけではないとした自らの判例、すなわち最決昭二六・二・九（刑集五・三・三九七）（前出一一一頁参照）、およびこれを踏襲した次の【125】とは、なんら牴触していないわけである。

【125】「刑訴規則二三六条一項が、控訴申立人に弁護人があるときは、弁護人にも控訴趣意書差出最終日を通知しなければならないとしているのは、最終日指定当時既に選任されている弁護人があるときは、その弁護人にも最終日を通知することを要するとした趣旨に解すべきであつて、裁判所が、控訴趣意書差出最終日を通知する際に、被告人に現に弁護人のない場合には、一旦弁護人を附したうえでなければこれをすることができないものであると解すべきでないこと、原決定の判示しているとおりであり、また、当裁判所の判例とするところである」（最決昭三〇・六・三刑集九・七・一一三六）。

本件は、むろん、必要的弁護事件であることを前提としての判示である。

なお、以上の判例系列とは別個に、次の最高裁判例【126】を挙げておかなければならない。【126】は、被告人が控訴審において充分な防禦の機会を与えられなかつたことを理由に、刑訴四一一条一号を発動したひとつの事例であるが、破棄の根拠として、以下に抄録するように、国選弁護人の選任時期が遅きに失したことが考慮されている。もつとも、本件は、第一審判決の無期懲役を控訴審が死刑に変更した事案であり、かつ、検察官提出の控訴趣意書謄本が被告人に送達された証跡がないという法令違反も認められている。

【126】「本件においては、被告人には原審において頭初から弁護人がなかつたのであるが、原審は、そのまま、控訴趣意書差出最終日を経過した後の昭和二五年五月二六日、即ち控訴趣意書に基く弁論の行われた第一回公判期日の僅か七日前に至り、漸く国選弁護人を選任しているのであり、他方において、被告人は、第一審判決後引き続き京都刑務所に拘禁されていたのであつて、原審裁判所の所在地の監獄たる大阪拘置所に移監されたのは、右第一回公判期日の前日に外ならない。そして、その間被告人が右公判期日について適式の召喚を受けた事跡は、記録上認められず、従つてまた、同公判期日前に前記国選弁護人と面接して、検察官の控訴趣意の内容を知り、これに対して予め防禦の準備打合をする適当な機会が与えられたとは到底推認することができない。

要するに、本件被告人は、原審において、その最初の弁論期日まで検察官の控訴趣意の内容を全然知らされず、またこれを知り且つこれに対し弁論の準備をする適当な機会を与えられなかつたものと断ぜざるを得ない。これは、全く公正を欠く措置であり、被告人の弁護権をその最も重要な時期において実質的に侵害したものである」(最判昭二八・七・一〇刑集七・七・一五〇五、評釈、田宮・刑評一五巻六四事件)。

最後に、最高裁判所自身による取扱に言及しておこう。田原調査官の説明によると、最高裁では、必要的弁護事件については、まず弁護人選任照会手続をとり、所定の回答期間内に被告人から回答がなく、また弁護人の選任もないときは、直ちに弁護人を国選したうえで、上告趣意書提出最終日を指定し、その指定の通知書を被告人にも国選弁護人にも送達しておられる由である(最高裁判所判例解説刑事篇昭和三三年度三一六頁)。このような取扱から生ずる実際的な影響のひとつとして、およそ必要的弁護事件(その範囲は広い。前出九四頁参照。)に関するかぎり、上告趣意書の提出されない事件が稀有となり、最高裁判所に対し、ある意味では無用の負担を課する嫌いがある(また、弁護士の良心を悩ますことにもなる。前出三八頁以下参照)。この点は、さきに掲げた小谷裁判官の意見(前出一一二頁)にも現われているが、藤田裁判官は、雑誌論文の中で、「いかなる軽微な窃盗事件でも、被告人が上告状一本提出しておけば、被告人が請求すると否とにかかわらず、国で弁護人を付する。弁護人はその責任上、何らかの上告理由を発見して、上告趣意書を提出する……。これが、果して、被告人の利益防護上必要の措置であろうか」と深い疑念を洩らしておられる（「最高裁判所の機構改革に関する諸説について」（四）法曹時報五巻五号）。同じような懐疑は高等裁判所においても見られ、実務が必ずしも控訴趣意書作成のために弁護人を選任しない理由として、控訴権の濫用があること、規則一七八条の照会に対する回答率がきわめて低いこと、控訴理由の大半を占める量刑不当・事実誤認については、被告人自身でも控訴趣意書は十分作成できる筈であることなどが挙げられている（江碕「控訴審の手続」法律実務講座一〇巻二三七二頁）。第一点・第二点に関するかぎり、必要的弁護の制度自体に警鐘を打ち鳴らすものであり、当事者主義の成熟に伴つて、この制度がある程度衰退してゆくことを予告しているのではあるまいか。

四　被選任者

国選弁護人の選任については、被選任者の範囲に若干の限定が加わつている。すなわち、被選任者は、「弁護士」であることのほか（刑訴三八I）、第一に、原則として「裁判所の所在地に在る弁護士」であること（刑訴規二九I）、第二に「利害が相反」する他の被告人の弁護人でないことが要求される（刑訴規二九II）。

規則二九条は、旧刑訴四三条を多少修正して引き継いだ規定である。第一項については、昭和二五年の規則改正で、「隣接する他の地方裁判所の管轄区域内にある弁護士」の部分が附加され、例外の範囲が広くなつた。実務の便宜を考慮したものである（横川・刑事裁判の研究（昭二八）一九頁参照）。もっとも、例外を認めるためには、「やむを得ない事情」がなければならないが、規則二九条一項の規定の意味は、裁判所と弁護士との間の事務の円滑をはかることに重点があると思われるから、この規定に違反しても直ちに選任が無効だという結論にはならないであろう。前出【118】の事案では、在廷して弁護人に選任されたNは、隣接地方裁判所の管轄区域内にある弁護士であつたが、控訴審は、規則二九条一項但書にいう「やむを得ない」ばあいに当ると判示して、この点でも原審の手続を是認している。

問題は、二項の「利害相反」である。同一の弁護人が、利害の相反する数人の被告人を弁護しようとすれば、その弁護活動は著しく不完全なものとならざるを得ない。ここでは、被告人の利益が直接に侵害されるわけである。私選のばあいであつても、利害相反する数人の被告人からの受任は、弁護士倫理に違反し、禁止されるわけであるが（前出五二頁参照）、国選のばあいは、進んで選任の効力自体を否定しなければならないであろう。次の高裁判例【127】は、このことを認め、原判決を破棄したものである。

【127】「記録によれば、本件起訴にかかる事実は、被告人両名が、昭和二四年八月一九日午後四時半頃、岐阜県……S方において金銭貸借のことから憤激し、相互に暴行を加えて因て各自その相手方に傷害を与えたというにあつて、……原審は、その開廷前、被告人等から貧困のため弁護人の選任ができない旨の回答を受け、弁護士Tを被告人両名の弁護人に選任した上、同弁護人の出頭を得て開廷し、以て本件の審理判決をしたものであることが認められる。然るところ、本件起訴事実は、右に摘記したように、その形式的記載自体によつても、被告人両名の利害相反する場合であることが明かであるといい得るのみならず、本件事案の内容を観察しても、被告人等は相互に暴行を加えて、因つて各自その相手方に傷害を与えたことはその争わぬところであるが、その紛争の発端なりその暴行の程度、態様なりにおいて、被告人等の司法警察員、検察官に対する各供述や、原審公判廷における供述は、互に一致しておらず、その一方に有利なことは必然に他方に不利となる関係にあることが認められ、その利害相反する場合であることが明瞭である。如上の場合に、同一の弁護人を附しても、被告人両名のために充分にその弁護権を行使し得ないことは条理上当然であつて、実質的に、原審における公判審理の全般に亘り、不法に弁護権を制限したのと異ならず、右の措置が訴訟手続の法令に違反することは、刑事訴訟規則第二九条第二項の反面解釈からも疑を容れる余地がなく、且つ右の違法は、被告人等に異議があると否とに拘らず、公判手続を無効ならしめ、延いて判決に影響を及ぼすこ

と明かである」（名古屋高判昭二四・一二・一九刑集二・三・三一〇）。

【127】の事案は、両被告人が相互に被害者でもある特殊なケースであるが、一般に規則二九条二項の問題を生ずるのは、二人以上の被告人が共犯者として起訴されたばあいである。次の最高裁判例は、このような事例である。

【128】「被告人Xと原審相被告人Yとは、もともと本件強盗の共犯者として共に起訴されたものであるが、被告人Xは第一審以来その公訴事実を認めていたのに反し、Yは第一審以来自己に対する公訴事実を否認していたことが明らかであるから、両名は本件において利害相反する立場にあつたものと……いわなければならない」（最判昭二三・四・一七刑集二・四・三六四(旧)、評釈、団藤＝高田・判例研究二巻二号、平出・刑評八巻五七事件）。

むろん、共同被告人間に共犯関係（必要的共犯を含む）があるからといつて、つねに利害が相反するとは限らない。判例も、共犯者が共に否認しているばあい（仙台高秋田支判昭二六・二・二六特二二・二二）、一人は否認し、一人は単独犯行だと主張しているばあい（東京高判昭二六・一・二五特二一・八）、情状に関する些細な点で利害を異にするばあい（東京高判昭二六・三・三〇特二一・五一）などについて、同一弁護人を選任してもよいと判示している。次の【129】も共犯者の一人が犯意の点だけを否認したやや微妙な事案であるが、規則二九条二項には違反しないとされている。

【129】「原審は、本件被告事件につき原審相被告人Y、同Zの国選弁護人であるAを同時に被告人Xの国選弁護人に選任したことは所論のとおりである。しかしながら記録を調査するに、本件被告事件は、被告人Xは原審相被告人等と共謀の上昭和二六年五月三〇日午後七時頃……五輪原火葬場に於てB保管に係る屑鉄等約一六貫を窃取したというのであつて、被告人及び原審相被告人等は、原審第一回公判において、いずれも本件につき『私達が持つて来た鉄板は、前記の場所に捨ててあつたも

のをCから貰ったのである』と各行為自体を認め犯意を否認し、その後現場検証並に各証拠の取調べが行われた後、原審第三回公判に於て、裁判官の『Cから鉄屑をくれるといわれたから持つて来たと言つているが、そう信じて持つて来たのか』との問に対し、原審相被告人Yは『権限のない人夫Cから言われたのでありますから、やましいことだと思つた』と答え、原審相被告人Zは『盗んだことに間違いない』旨、被告人Xは『私としては盗むと言う気持ちはありませんでした』とそれぞれ自己の意見を述べているに過ぎないのである。以上の点から考察すれば、行為の点はいずれも認めて居り、窃盗の犯意の点について共犯者各自の考えを異にしているに過ぎないのであつて、かかる場合、必ずしも被告人の利害が相反するものということはできない。されば、同一の弁護士を右三名の弁護人に選任していることを目して、所論のように刑事訴訟規則第二九条第二項の趣旨に反するものとは言えない」(仙台高判昭二七・二・二九特二二・一〇七)。

なお、共犯関係には立たない共同被告人間においても利害相反するばあいがあり得ることは、【127】の事例からも明白であろう。次の【130】は、窃盗犯人と贓物犯人との利害に関するものである。

【130】「原審は原審相被告人Y、同Zの弁護人であつたKを被告人Xの国選弁護人に選任したこと、及びY、Z両被告人の牙保、収受又は寄蔵した贓物は何れも被告人の窃取に係るものなることは、所論の通りである。然しながら、原審相被告人両名の贓物罪の成立は、被告人の窃盗罪の成立を前提とするけれども、被告人の窃盗罪の成立に関しては、原審相被告人両名の贓物罪の成否は何等の影響を及ぼさないのである。故に、被告人の立場からすれば、原審相被告人両名と利害反する余地はないものといわねばならない。されば、被告人Xの窃盗罪に関する限りに於ては、原審相被告人両名の弁護人と同一弁護人を国選弁護人として選任しても、刑事訴訟規則第二九条第二項の趣旨に反するものではない」(名古屋高判昭二五・五・三〇特九・八四)。

【130】が判示するように窃盗犯人の側から見ればつねに利害相反せずといえるかは、疑問であり、さらに具体的事案に立ち入つた検討が必要であろう。【127】から【129】に至る間に挙示した各判例は、すべて被告人等の具体的な供述内容を資料として、利害の一致不一致を論結している。このような態度は、すでに古く大審院判例の明言するところであつた。

【131】「〔旧刑訴四三条二項〕ニ所謂利害相反スルヤ否ヤハ、一ニ公訴事実ノミニ基キ之ヲ定ムベキモノニ非ズシテ、個個ノ事件ニ付キ其ノ内容ヲ調査シ、之ヲ決セザルベカラズ。蓋シ、方今複雑ナル社会ニ於テ発生スル犯罪ハ千差万別ナレバ、従ツテ起訴セラレタル事件ノ内容モ、多岐ニ亘リ、被告人ノ利害モ亦同一ナラザルモノアレバナリ。故ニ、例ヘバ被告人両名共謀シテ殺人シタリトノ公訴事実ハ一見被告人ノ利害相反セザルガ如シト雖モ、被告人ガ互ニ其ノ罪責ヲ相被告ニ転嫁シ相争フガ如キ場合ハ、其ノ利害相反スルト謂フ可ク、又被告人両名ガ争闘シテ互ニ傷害ヲ加ヘタリトノ公訴事実ハ、一見被告人ノ利害相反スルガ如シト雖モ、各被告人ニ於テ公訴事実ヲ否認シ、両名トモ第三者ノ為傷害セラレタルモノニシテ、互ニ介抱ヲ為シ居リタリト主張シタル場合ノ如キハ直チニ其ノ利害相反スルモノト謂フヲ得ザルベシ。然レバ、被告人ノ利害相反スルヤ否ヤハ、公訴事実ニノミ基キ之ヲ決スルモノニ非ザルコト明白ニシテ、事件ノ内容殊ニ各審級ニ於ケル当事者ノ主張弁解其ノ他一切ノ事情ヲ参酌シ、同一ノ弁護人カ数人ノ被告人ニ対スル弁護ヲ相抵触セズシテ完全ニ遂行シ、其ノ任務ヲ完フスルコトヲ得ベキヤ否ヤヲ以テ其ノ基準ト為シ、之ヲ決スルヲ妥当ナリト解セザルベカラズ」(大判大一三・一〇・一六刑集三・七〇六(旧))。

【131】に現われた考え方自体は、むろん正当だといってよかろう。ただ、起訴状一本主義をとる現行法のもとでは、第一回公判期日前においては起訴状の記載に頼って判断するほかはないので、審理の経過に従い、裁判所の判断が変更されることも稀ではないであろう(弁護人も、事情がわかれば、辞任を申し出るべきである)。次の【132】は、このような消息を示すものである。

【132】「記録によれば、原審は被告人両名から国選弁護人選任の申請があつたので、第一回公判期日前弁護士Tを被告人両名の弁護人に選任した。しかるに被告人両名は、もともと本件窃盗の共犯として同一起訴状によつて起訴されたものであるが、第一回公判期日において、右弁護人立会いの下に審理を進めたところ、被告人Xは、事実について相違することはないから別に陳述することはない旨を述べ、公訴事実を無条件に承認したに反し、被告人Yは、起訴状記載の日時頃田舎より帰る途中、被告人Xと出会つた際、同被告人の持つていた白米一斗と自分の持つていた煎子を交換したことはあるが、同被告人と共謀して本件白米を窃盗したことは全然ない旨を述べ、公訴事実を全面的に否認したのである。従つて、国選弁護人を選任する当時は、被告人両名が窃盗の共犯として起訴されていること以外の事情は、原審としては一切不明であつて、共犯者間の利害

は必ずしも相反するとは限らないから、原審が同一弁護士を被告人両名の弁護人に選任したことは、当時の事情として已むを得ないことであつた。しかしながら、第一回公判期日において両被告人は前記のような互に相反する供述をするに至つたのであるから、被告人両名は本件について利害相反する立場にあることが明になつたわけである。しかるに原審は、その後もなお先の弁護人選任の決定を維持し、第六回公判期日まで毎回前記弁護人を立会はせて審理をなした上判決したことが明である」（福岡高判昭二五・一一・二一刑集三・四・五七九）。

【132】の原審は、前記のような事情が判明していながら漫然と審理を続行したわけではない。第一回公判期日において被告人両名が相反する供述をしたのちは、検察官の請求もあつて、弁論を分離したのである（もつとも、その分離は、まつたく形式的で、毎回同じ日に審理し、最終公判期日においてふたたび併合して結審した）。しかし、控訴審は、弁論を分離したところで、「良心的で熱意のある積極的な弁護」が期待し難いことに変りはないと述べ、原判決の破棄を宣告した。適切な態度であり、その趣旨は、起訴が別個に行なわれたばあいにも及ぼさるべきであろう。次の【133】は、これと矛盾する立言を含むが、傍論として判示されたに過ぎず、具体的な事案の解決としては、後述するように不当なものではないのである。

【133】「刑事訴訟規則第二九条第二項……は、共同被告人として審理せらるる場合か、少くとも審理は別としても共同被告人として起訴せられた場合にのみ適用せらるる規定で、別箇に起訴せられて審理せらるる事件については、適用の余地なきものと謂うべきである」（大阪高判昭二八・五・一九特二八・三〇）。

【133】では、共犯者に対する判決（死刑）はすでに確定し、執行終了後二年半を経過していた。かようなばあいには、「利害が相反する」という要件は、もはや備わつていないと解される。一般的に、起訴が同時であるか否かによつて刑訴規則二九条二項の適用を限定するのは、妥当でないといわねばならない。

五　国選弁護人の選任に関するその他の問題

ここでは、前章五―七で論じた問題を一括してとり上げることとする。

（一）　弁護人の数　　同一の弁護人を数人の被告人のために選任し得ることについては、すでに触れた（前出一一八頁参照）。一人の被告人のために数人の弁護人を選任することも、法規上不可能ではない（不可能とする説もある。高田九二頁）。しかし、実際に二人以上の弁護人が選任されることは、まず絶無といってよい（ただし、前出三九頁参照）。主任弁護人に関する規定も、国選弁護人への適用は予想していないと思われる（条文の位置が、私選弁護に関する規定の中に置かれている。ただし、現実に二人の国選弁護人が選任されたばあいには、準用を妨げないであろう）。

（二）　選任の手続　　国選弁護人の選任は、裁判長の選任命令によって行なわれる。選任行為の性質については争いがあり、裁判長の「裁判」だという見解と、公法上の「契約」だとする立場とが対立している。あまり重要な問題ではないが、いずれに従うかによって、実際の取り扱いに若干差異を生ずる。すなわち前説によれば、弁護人には選任書の謄本を送達し、原本は記録に編綴することになり、後説に従えば、原本を弁護人に交付し記録に謄本ないし写を編綴するわけである。

（三）　選任の効力範囲

(1)　幅員の問題　　追起訴事件について問題があるが、この点については、私選弁護のばあいといつしよに論じ、判例も掲げた（前出六八頁参照）。

(2)　延長の問題　　効力の始期および終期の問題も、私選弁護のばあいに準ずるが、一審における選任行為の追完について、これを否定した次の判例がある（必要的弁護事件である）。

【134】「被告人が自ら弁護人を選任していないこと、並びに原裁判所が昭和二五年二月二五日同被告人のため弁護士Dを国選弁護人に選任し、同日同弁護人に対し国選弁護人選任命令謄本を送達していること、及び原裁判所はその選任の前日たる同月二四日公判を開廷し、審理の上弁論を終結したことは、いずれも記録に徴し明瞭である。すると原審は、同公判期日において、被告人が選任した弁護人がないのにも拘らず、弁護人を附さないで開廷し、審理の上弁論を終結した違法をあえてしたものといわなければならない。尤も前掲昭和二五年二月二四日の原審第一回公判調書には、弁護人D出頭し、被告人等のため弁論をした旨の記載があるけれども、同弁護人は、原審共同被告人Yが同年二月八日自己のため選任したものであることは、同人及び右弁護人連署の弁護届の記載によって明かであるから、同弁護人が、右公判期日にY被告人のため弁論したのは当然であるが、未だ選任を受けない被告人のため弁論をすることができない筋合であるから、たとい同被告人のため弁論をしたからというて、同人のため法上何等の効果を及ぼすものということはできない」(福岡高判昭二五・九・二〇刑集三・三・四二八)。

【134】の判旨とするところは明白であるが、これについて、次の二点に関説しておこう。第一は、訴因変更によって必要的弁護事件に移行したばあいに、弁護人なしで行なわれた変更前の手続の効力はどうかという問題である。無効とする有力な見解もあるが、平野教授は、証拠の関連性が訴因に限定さるべきことを注意しつつ、訴因変更の時に弁護人を附すれば足りると説かれた(平野・刑訴(法律学全集)一五八頁)。訴因制度の趣旨に鑑み、この説には充分な根拠があるといえよう。第二は、【134】の判旨は、私選弁護のばあいにも推及すべきかという問題である。前に掲げた【80】は、「弁護届は、裁判の時までに追完し得る」という一般的な表現を用いているので、【134】は、適用を拒まれるように見える。しかし、【80】と【134】との間の差異は、私選か国選かというよりも、被告人の利益を害するか否かが、決定的な点であり、問題の解決は、この見地を加味しつつ、柔軟な形でなされねばならないであろう。

選任の効力が、破棄差戻後の第一審に及ばないことについては、私選弁護のばあいの【81】を援用できよう。逆に、第一審相互間における移送後の手続に及ぶことに関しては、次の【135】があり、これを私選弁護のばあいに推及してよいと思われる。もっとも、【135】に従えば、遠隔地の裁判所へ移送されたばあいも弁護人としての責務が継続することになり、規則二九条一項との関係において疑問を生ずる。しかし、このようなばあいは、辞任に「正当な理由」があるものとして取り扱えば（弁二四、倫一二参照）、弁護人にとくに困難を感じさせることはないであろう。弁護人が辞任せず、積極的に職務を続行するのは、むろん望ましいが、しかし、このばあいも、裁判所の側から見れば、解任について「正当な理由」があることになろう。

【135】「移送を受けた裁判所においては、事件の事実審理手続をこそ新たにこれをなすを要するも、事実審理に属さないと認むべき移送裁判所のなした起訴状謄本の送達、国選弁護人の選任の如きものについては、移送決定確定後においても其の効力に何等の消長を及ぼさないものと解すべきである。しかも刑事訴訟法第三二条第二項によれば弁護人の選任は審級ごとになすべき旨を規定しているのみであつて、本件は単に一審裁判所間に於ける事件の移送に過ぎないのであるから、移送を受けた裁判所において更に弁護人の選任をなすの必要はない。尤も移送を受けた裁判所において一応移送裁判所の選任した弁護人を解任し更に弁護人を選任するのが通例行われている妥当な措置であると謂い得るのであるが、かかる措置を採らなかつたからといつて直ちに原審の訴訟手続に違法の廉があつたとは謂われない。論旨は理由がない」（札幌高判昭二六・七・五刑集四・七・七六四）。

四　弁護人の権利（各論）

弁護人の権利については、すでに一章二節で、いわば総論的な検討を行なつた（五頁以下）。ここでは、弁護人の諸権利のうち、機能的に重要であり、かつ注目すべき判例に囲繞されたものとして、接見交通権、証拠閲覧権、強制処分立会権、公判期日出頭権、および上訴権の五項目をとり上げ、順次考察してゆくこととする。

一　接見交通権

新刑訴によつて、弁護人（弁護人選任権者の依頼により弁護人となろうとする者を含む）と身体の拘束を受けている被告人・被疑者との自由な接見交通が認められたのは（刑訴三九Ⅰ）、旧法に対する一大改革であつた。旧旧刑訴までさかのぼると、被告人・被疑者との接見交通に関して弁護人はなんら特別の地位を与えられず、第三者のばあいと同様に、接見については官吏の立会、書類授受については予審判事または検事の検閲を要求された。また、予審判事は、その裁量によつて、接見もしくは書類物件の授受を禁止し、または授受された書類物件を差し押えることができた（旧旧刑訴八五）。旧刑訴は、弁護人以外の者に対してはほぼ旧旧法と同様の制限を維持したが（旧刑訴一一一・一一二）、弁護人に対してはその特殊性を承認し、被告事件が公判に付せられたのちの接見および信書の往復にかぎり無制限とした（旧刑訴四五）。これが一つの進歩であつたことはいうまでもないが、接見の際の立会はもちろん、信書以外の物の授受禁止、信書の検閲は依然として可能であつたし、接見、信書往復の自由も、要するに公判の段階で認められたに過ぎず、糺問主義的捜査プラス弾劾主義的公判という大陸法の基本構造はいささかも崩されていなかつたのである。これに比べると、新法が、起訴の前後を問わず、「立会人なくして接見し、又は書類若しくは物の授受をすることができる」という原則を打ち出したのは、英米法的な当事者訴訟への飛躍的前進を意味したといつてよい。それだけに、そこには大きい抵抗があつた。法が、起訴前にかぎり接見・授受の日時等の指定を許すという形で捜査の必要に妥協したのは（刑訴三九Ⅲ）、理念と現実との落差に照らしてやむを得ぬ譲歩だったといえよう。しかし、この指定権を得た捜査機関は、理論の予想以上にこれを「活用」し、被疑者・弁護人間の自由な接見交通をなかば有名無実化している（小津「被告人、被疑者と弁護人の接見の不当な制限について」ジュリスト五一号）。次の【136】に現われているのは、その極端な事例であり、最高裁判所は、接見を不当に制限したものと認めた。

【136】「刑訴三〇条一項において、被疑者は被告人と同様何時でも弁護人を選任することができる旨を規定し、又同三九条一項及び三項は、身体の拘束を受けている被疑者は弁護人と立会人なくして接見し又は書類若しくは物の授受をすることができる旨を規定すると同時に、特定の場合に限り検察官検察事務官又は司法警察職員……が右接見又は授受に関しその日時、場所及び時間を指定し得ることについて規定している。但し、右日時その他を指定する場合であつても、被疑者が防禦の準備をする権利を不当に制限するようなものであつてはならないと厳にその行き過ぎを戒しめている。被告人Ｘが被疑者として警察にその身柄の拘束を受けていた間に、同人とその弁護人との面接時間が所論のように二分ないし三分と指定されたとすれば、当時かかる時間的制限を加える理由があつたとしても、その指定が被疑者に権利として認められた防禦準備のためには余りにも短時間に過ぎ、かかる措置の不当であることは一応これを認めることができる」（最判昭二八・七・一〇刑集七・七・一四七四評釈、定塚脩・刑評一五巻四五事件）。

【136】のいう「特定の場合」とは、むろん刑訴三九条三項の「捜査のため必要があるとき」を指している。捜査から糺問的色彩を取り除くという法の理念に則して解釈すれば、この「捜査の必要」は、被疑者を現実に取り調べているばあいにかぎられ（平野・刑訴（法律学全集一〇五頁））、せいぜいまさに取り調べようとしているときまで拡げうるにとどまる（横川・逮捕勾留保釈一二三頁）。しかし、前に述べたように、捜査の実際ではこれとはるかに違つた解釈がとられ、日時場所等の指定は、ほとんど捜査機関の自由裁量に近く運用されている。次の【137】は、むしろこのような現実の所産と見るべきで、逆にこの判例を手がかりに、三九条三項を緩やかに解釈すべきではない。

【137】「刑事訴訟法第三九条第三項に『捜査の為必要』とは、被疑者を直接取調べる為の必要のみを意味するものではない」（札幌高判昭二五・一二・一五特一五・一八八）。

【137】の事案では、被疑者は勾留三日目に二〇分、八日目および九日目に各三〇分、弁護人との接見を許す旨の指定を受けている。われわれは、これを昭和二五年において最少限度の要求を充たしたものとして是認すると共に、この基準を漸次高め捜査の自白依存的傾向を修正してゆくことに努めなければならない。裁判所が、捜査のやり方を規整するのにもっとも効果的な方法は、弁護人との接見を制限して得られた自白を無効とすることである。これは、効果が大きいだけに、「捜査を妨害」するものだという非難を受けるおそれがある（平野「裁判所は捜査を妨害しているか」ジュリスト一五九号参照。なお、捜査の抑制一般を理論的に検討した論文として、平野「証拠排除による捜査の抑制」刑法雑誌七巻一号二・三・四合併号）。最高裁判所が【136】で、「不当」な措置と認めながら、語を継いで、「任意性の有無はそれ等の事由とはかかわりなくその自白をした当時の情況に照らしてこれを判断すべきである」として、結局任意性があると認定したのは、多かれ少なかれ右のような考慮に支配された結果であろう。しかし、昭和三二年には糧食差入禁止（刑訴八一条但書違反）中の自白の任意性に疑いをさしはさんで差し戻した判例（最判昭三二・五・三一刑集一一・五・一五七九）も出されており、将来における判例の発展は期して待つべきものがある（松尾「被疑者の取調」警察学論集一二巻一二号参照）。

なお、捜査機関の指定処分が不当なばあい、直接的な救済手段は、むろんこれに対する準抗告（さらに、特別抗告）によって処分の取消または変更を求めることである。最高裁判所は、さきの【136】において「右不当な措置に対する救済の途は別に刑訴四三〇条四三一条に規定」されていると説示したが、次の【138】でも同じ趣旨をくりかえした。

【138】「検察官は、公訴提起前の被疑者に対し、刑訴三九条三項により、捜査のため必要があるときは弁護人との接見につき日時、場所及び時間を適当に指定することができ、もし検察官の右処分に不服があるときは、刑訴四三〇条により救済を求めることができるのであるから、仮りに所論のように本件接見の指定が起訴の日と同日であつたとしても、この事だけをもつて、直ちに被告人の防禦の準備をする権利を不当に制限したものと断ずることはできない」（最判昭三〇・四・八最高裁判集刑事一〇四・三九五）。

準抗告による救済については、時期を失せず効果をあげるのは困難なことが多いといわれているが、事態改善のために、まず弁護人の積極的な努力が期待される（大野「法廷における言論の自由」中央公論昭和三五年一〇月号は、この点につき示唆的である）。

次の【139】、【140】、【141】はいずれも準抗告が認められた例であり、とくに【140】では、指定を取り消す決定が即日なされている点、【141】では積極的に変更決定をしている点に注目すべきものがある。

【139】「一件記録によれば、被疑者は収賄被疑事実により昭和三〇年八月一日逮捕状の執行を受け、……次いで同月三日……勾留状が発せられ、引き続き……勾留されているところ、同日福岡地方検察庁検察官Sより、右弁護人との接見等に関し、……日時及び時間を同月一〇日以後の毎日午後五時から、同五時三〇分までとする旨の指定があつたことが認められる。〔本件被疑者〕は、……金員受取の事実は認めているものの、賄賂としての趣旨を否認しており、収賄被疑事件の性格と相俟つて罪証隠滅のおそれが全くないとはいえないので、弁護人の弁護権（被疑者の防禦権）を不当に制限しない限り、右理由によつて、弁護人と被疑者との接見に関し、日時場所及び時間を指定することは、必らずしも違法であるというべきではない。しかしながら、前記指定の内容を検討すると、……八月三日より同月一二日までの勾留期間のうち、同月一一日及び一二日の午後五時から五時三〇分までのみを指定し、他の期間中は接見を許さない趣旨であることがうかがわれるのであるが、このように一〇日間の勾留期間中最後の二日間、しかも各三〇分間のみを接見の日時及び時間として指定した原処分は、……公訴提起前における弁護人である準抗告人の弁護権（被疑者の防禦権）を不当に制限するものであると解さざるを得ない」（福岡地決昭三〇・八・六判時六〇・二六）。

【140】「（主文）昭和三四年五月二一日札幌地方検察庁検察官Tがなした『弁護人Kと被疑者Dとの接見等の日時及び時間

を、昭和三四年五月二三日午後一時から午後一時二〇分までと指定する』旨の処分を取り消す。

（理由）　憲法第三四条は『何人も理由を直ちに告げられ、且つ直ちに弁護人に依頼する権利を与えられなければ、抑留又は拘禁されない』と規定し、更に刑事訴訟法はこれを受けて、逮捕勾引及び勾留に際しては被疑者（被告人）に弁護人を選任することができる旨を告知すべきものとしている。……〔これが、実質的な弁護を受ける〕権利を意味するのは当然であつて、単に弁護人を選任することができるという趣旨であればかかる弁護人依頼権は全く無意味である。ところで、本件において被疑者は五月一八日勾留されているが、検事の接見等の日時の指定により勾留後五日余りの期間弁護人と全く接見することができず、従つてその間実質的に弁護人の弁護を受け、防禦の準備をする権利を行使することができないことになる。起訴前の勾留期間は原則として一〇日間であることを考えれば、右の如き結果を招来する検事の処分は、いかに捜査のため必要があるとはいえ、憲法第三四条及び刑事訴訟法第三九条第三項但書の規定に違反する不当な処分といわねばならない。よつて、右検事の処分の取消を求める本件準抗告は理由があるから、……主文のとおり決定する」（札幌地決昭三四・五・二一 下級刑集一・五・一三三七）。

【141】「（主文）　検察官Mが、昭和三四年一〇月二九日と指定した接見の日を、同年一〇月二八日及び同月二九日と変更する。

（理由）　……検察官提出の一件記録等に徴すれば、被疑者両名は、昭和三四年一〇月一〇日……勾留状により秋田警察署に勾留され、同月一九日右勾留期間を同月二九日まで延長されたところ、弁護人は、検察官の指定により、同月一六日及び同月二〇日の二回にわたり被疑者等と接見しておること、及び検察官は、同月二二日、弁護人等に対し接見の日を同月二九日と指定したことが認められる。……前記二回の接見を指定し、その後勾留期間満了の前日まで……接見を許容しない検察官の本件措置は、……弁護人に対し勾留期間満了の当日接見を指定し、被疑者等に対する防禦の準備をする権利を同日一日に限定するものであつて、右権利を不当に制限する措置と断ぜざるを得ない」（秋田地決昭三四・一〇・二八 下級刑集一・一〇・二三二七）。

二　証拠閲覧権

証拠書類および証拠物を閲覧または謄写して、訴追側にどのような証拠があるかを知ることは、弁護人の防禦の準備のために、きわめて重要な意味をもつ、旧旧刑訴は、この点について、弁護人に、

「裁判所ニ於テ訴訟記録ヲ閲読シ且之ヲ抄写スル」権利を与えたが（旧旧刑訴一八〇）、これを不充分とする意見は有力であつた（富田・刑訴法要論上四三七頁、なお、同「刑事弁護論」京都法学会雑誌三巻一一号参照）。旧刑訴は、閲覧謄写の対象を、書類のほか、証拠物にまで拡大し（旧刑訴四四Ⅰ。ただし、証拠物の謄写は、裁判長または予審判事の許可が必要、旧刑訴四四Ⅲ）、また、閲覧謄写の時期を予審の段階にまで及ぼすこととした（弁護人の立ち会いうる予審処分については無条件、そうでないものについては予審判事の許可が必要、旧刑訴四四Ⅱ。旧刑訴三〇三Ⅲ）。旧刑訴では、予審が、いわば訴追側の証拠保全手段として、強力な機能を営んだため、閲覧謄写権の予審への拡張は、重大な意味をもちえたが、それだけに、予審判事の許可という要件が、現実には著しい制約となつたのである（小野「予審制度の根本的改革に付て」法学評論上（昭一三）二九二頁）。

現行刑訴になつて、いわゆる起訴状一本主義が採用された結果、事態は一変した。弁護人の「裁判所において、訴訟に関する書類及び証拠物を閲覧し、且つ謄写する」権利は、法文上、保障されているが（刑訴四〇本文。証拠物の謄写に許可を要することは旧法のとおり、刑訴四〇但）、証拠はすべて公判における証拠調を経過したのち、裁判所の占有に移るのであるから、刑訴四〇条による閲覧謄写権は、第一審公判の事前準備という意味では、ほとんど無価値なものになつたのである。そして、新たに登場したのは、検察官の手持証拠に対する閲覧謄写権の問題であつた。

思うに、弁護人による閲覧謄写は、被告人に不利益な証拠を事前に認識して対策を講ずること、および被告人に有利な証拠を発見してその埋没を防ぐことの両面にわたる役割をもつ。現行法は、前者の関係では、証拠調請求に先立つ開示義務を両当事者に課し（刑訴二九九Ⅰ）、また後者の関係では、刑訴三二一条一項二号後段の要件をみたす検察官調書にかぎつてではあるが、検察官に取調請求義務を課して、右の点に対する実質的な配慮を示していた。しかし、この限度ではとうてい充分でないとする弁護人側の意見は、現行法施行当初から、強く主張された。その結果、各地で弁護士会と検察庁との間に話し合いが行なわれ、あるいは裁判所を加えた三者協議会がもたれて、起訴後は少なくとも閲覧を許すという線で、ほぼ統一的な運用がなされてきた（刑事裁判資料三四号の議事録、判タ四九号の座談会記録など参照）。しかし、「運用」に不安定な要素が伴うことは免れ難い。やがて、閲覧の許否をめぐる検察官と弁護人との対立の事例が、散発的に報ぜられるようになり、識者の耳目を集めた。とくに、大阪では、いわゆる吹田事件、枚方事件などの著名な裁判でこの問題が起り、枚方事件の裁判長は、審理の遅延を憂慮して、「供述調書閲覧問題に対する当裁判所の見解」と題する異例の勧告文を発表し、訴訟関係人の善処を要望した。次にこれを掲げることとする。

【142】「供述調書の閲覧要求拒否問題に関し、二回にわたる検察官と弁護人との論争を重ねたのに拘らず、遂にその解決を見るに至らなかつたことは、甚だ遺憾である。

検察官は口頭主義の原則を振りかざし、本件の立証は口頭によつて提供される訴訟資料のみにもとづいて之をなすものであるから、供述調書の閲覧を拒否する旨主張している点は正しい。

然し、弁護人が指摘し、且つ検察官も敢えて之を否定せざる如く、其の背後には証人の証言によつて其の目的を遂げ得ない場合には、刑事訴訟法第三二一条第一項第二号但書の規定に従つて、其の証人が参考人として検察官に供述した調書の取調請求を予定していることは、本件事案に徴し火を見るより明かである。此の場合、検察官は、その取調請求の直前——即ち当該証人尋問の直後——に閲覧の機会を与えるから、証人尋問前に閲覧せしめなくとも刑事訴訟法第二九九条の規定に違反するものでないと言う。抽象的法理論としては誠にその通りである。さればと云つて、具体的措置の妥当性を軽視すべきではない。刑事訴訟法は何ものにもまして訴訟行為のフェアーを要請している。同法第二九九条の如きも、アンフェアーとなるべき最少限度の行為を禁止しているに止るのであるから、此の法規に直接違反しないからと云つて、直ちにフェアーであるとは断言し難い。フェアーの如何は、法規のみならず、国民一般の常識に基準を置いて考えねばならぬ。……アンフェアーな手段方法で、仮令所期の目的を達し得たとしても、国民の不満と疑惑を拭うことができない限り、其の裁判の効果は薄い。

当裁判所は、今後の審理に際し訴訟関係人の特にフェアーな態度を切望すると共に、検察官に対し将来取調請求をなす蓋然性のある刑訴第三二一条所定の書面につき、直前とは云わず事情の許す限り一刻も早く弁護人に閲覧するの機会を与えられんことを改めて希望する。弁護人は、裁判長に対して書類の閲覧命令を出すよう要求するが、之には法的根拠はない。法的根拠のない命令は何等法律効果が生じないから之に応じないからと云つて法的な不利益を与える途はない。尤も予め閲覧の機会を与えず、取調請求の直前に閲覧の機会を与えることによつて生ずる訴訟遅延の責は、検察官側にあることは言を俟たない。当裁判所は、幸か不幸か証拠の閲覧を拒否した事件に遭遇するのは本件が最初である。検察官の弁明によれば此の種事件のみならず、否認事件については、大体証拠書類の予めの閲覧を拒否する方針であるとのことである。

之は恐らく立会検察官の個人的見解でなく検察庁全体の方針であると推測するに難くない。刑事裁判の使命は、九九人の有罪犯人を無罪にするとも一人の無辜の者を処罰するなかれと云う点にあることは今更申す迄もない。此の原則を適用する上において、最も困難且つ危険なのは否認事件の審理である。だから否認事件の審理には最も慎重を期しなければならない。このことは、反面弁護人の最大の弁護活動を期待することになる。然るに弁護人の地位は制度上検察官に対抗しうるだけの強力な機関を持つていないことは現状の示す通りである。それ故、いきおい検察官の所持する資料に手掛を求めて活動を開始するのが一般慣行となつている様に思う。そうだとすれば、検察庁の此の方針は、独り本件の弁護人のみならず、全弁護人に対する重大問題と云わねばならぬ。一介の裁判長の能力を以つては到底解決し得ない所である。宜しく検察庁と折衝して解決すべきことではないかと思う。此のことは、嘗て法規上の根拠なしとして弁護人の書類謄写の要求を拒否した検察庁の方針に対し、弁護士会の申入により円満な解決を見た事例を想起して貰いたい。

当裁判所は右の解決を期待してやまないのであるが、右の解決なき限り左の方針で訴訟を進めることにしたい。即ち、検察官が証人の申請をするに際しては、刑事訴訟規則第一八九条第三項に基き証拠と証明すべき事実との関係を書面を以つて具体的に明示し、且つ交互尋問制を採用する場合においても、同規則第一〇六条第二項により詳細なる尋問事項の提出を命じ、之に応じない限り申請を却下することにし、それによつて、経験豊かな弁護人をして、右書面と検察官の冒頭陳述とを対照することにより、証人が参考人として如何なる供述をしているかの推測を可能にする。尚その上に証人尋問終了後供述調書の取調請求があつた場合には、更に日を更めて其の証人を喚問した上反対尋問の機会を与える。

以上が裁判所としてとり得る唯一の途であるから、右の諸点を特に考慮せられて訴訟の促進に協力せられんことを訴訟関係人各位に切望する次第である」（刑法雑誌九巻一号五〇頁以下による。後出佐伯論文（立命館法学二九・三〇号）にも全文がおさめられている。なお、枚方事件の第一審判決言渡は、昭三四・一一・一九）。

【142】の勧告文では、閲覧させよと命令する法的根拠がないと述べられている。大阪弁護士会は、昭和二八年一月、検察官手持証拠に対する閲覧権の立法化に乗り出し、日本弁護士連合会へはたらきかけて、最高裁判所、法務省、および最高検察庁へ申し入れを行なつた（この間の経過は、佐伯「刑事訴訟における証拠の開示」立命館法学二九・三〇合併号に詳しい）。その後、当面すこぶる重要な課題の一として、各方面で検討が進められ、また、「当事者主義の国、アメリカ」におけるこの種の問題の急激な展開が伝えられて（平野・刑訴（法律学全集）一二四頁）、一層関心を高めていた（理論的な研究として、佐伯「崩壊しゆく人権保障」法律時報二七巻六号、平野「書類証拠物の閲覧」法曹時報一一巻六号）。そこへ発生したのが、いわゆる全逓大阪事件である。昭和三三年八月二二日の公訴提起後、検察官と弁護人とは、証拠の閲覧謄写問題で鋭く対立し、翌三四年一〇月三日の第三回公判期日に至つても解決の曙光が見えなかつた。同日、裁判長は、あえて証拠開示の命令に踏み切り、審理促進への途を開こうとしたのである。次に、その骨子をなす部分を抄録しよう。

【143】「当裁判所は、今や当事者の自治的解決の不可能なると、事柄自体の重大性にかんがみ、ここに最終的に次のとおりの見解を表明し、訴訟の促進を計りたいと思います。……検察官が、当事者であると共に、一面公益の代表者として、……『真実究明義務』を負うものであることは、異論のないところでありましょう。……されば、検察官には……手持証拠を独占すべき権利はな［く］、公訴の提起後、何時にてもこれを弁護人に閲覧せしめ、その十分な検討、批判に耐え、利用すべきはこれを利用せしめてこそ、初めて真の意味での『実体的真実の発見』に協力し得たといい得ましょう。……更に一言したいのは、検察官には訴訟促進についての協力義務があるということであります。……事件の審判に必要と認めるすべての証拠を、第一回公判前に弁護側に閲覧せしめ置き、それに対する十分な準備を整えしめてこそ、初めて継続審理、集中審理が可能とな

り、訴訟も促進されるのではありませんか。……以上の如き理由に基き、当職は、ここに検察官に対し、次のとおり命令します。

検察官は、弁護人に対し、直ちに本件手持証拠の全部を閲覧せしめること」（大阪地命令昭三四・一〇・三判時二〇二・二二、評釈、平場「検察官手持証拠の開示を命じた大阪地裁の命令」判時二〇七一、同二〇八）。

【143】については、裁判長にそもそもこのような命令権があるかという形式的な面と、本件における命令の内容は適切かという実質的な面とが、いずれも問題となりうる。命令を受けた検察官は、これに対して異議を申し立てたが、裁判所は決定で異議を棄却した。この決定に対して、検察官は、さらに、特別抗告を申し立て、形式・実質の両面にわたつて、原命令およびこれを維持した原決定の不法を主張した。特別抗告を受理した第三小法廷は、検察官の要求を容れ、判例違反に名をかりて原決定および原命令を取り消したが、その理由の核心は、次に示すように、検察官の開示義務ないし裁判官の開示命令の根拠となる法規が存在しないというにあつた。

【144】「検察官が、公益の代表者として、訴訟において裁判所をして真実を発見させるため、被告人に有利な証拠をも法廷に顕出することを怠つてはならないことは、その国法上の職責である。また、訴訟の集中、迅速審理には、弁護人と同様、特別の事情のない限りこれに協力することが望ましいことである。しかし、原決定は、検察官の真実発見義務のうちに、その所持する証拠を弁護人に閲覧させるべき義務の根拠を見出そうとする点があるけれども、訴訟における裁判所なり検察官なりの真実発見の方法は、訴訟法規の軌道に乗つて行われるべきことというまでもない。よつて、検察官が所持の証拠書類又は証拠物につき公判で取調を請求すると否とに拘わりなく、予めこれを被告人もしくは弁護人に閲覧させるべき義務を定め、あるいは、裁判所がかような証拠を弁護人に閲覧させるべきことを検察官に命令しうることを定めた法規が存するか否かについて検討する。

公訴の提起後、裁判所が当事者から提出され、または職権で作成もしくは押収して、保管する訴訟書類（証拠書類を含む）

および証拠物を、弁護人が閲覧、謄写する権利とその条件、および弁護人を持たない被告人が公判調書を閲覧する権利と条件については、刑訴法四〇条、四九条の一般的規定を見るのであるが、公判裁判所の管理に属せず、裁判所がその存在および内容について知るところのない検察官所持の証拠書類、証拠物について、検察官が公判において取調を請求すると否とを問わず、またそれらが証拠能力、事件との関連性を有すると否とを問わず、証拠調前、予めこれらの全部または一部を弁護人に閲覧する機会を与えるべく裁判所が検察官に命令することができること、もしくは当然弁護人に閲覧させるべき義務あることを定めた一般的法規の存することは認められない。

刑訴法二九九条一項は、検察官、被告人又は弁護人が、証拠書類又は証拠物の取調を請求する場合に関し、請求の条件として、予めその証拠方法を相手方に閲覧する機会を与えなければならないことを規定し、刑訴規則一七八条の三は、第一回の公判期日前に、右規定により、訴訟関係人が相手方に証拠書類等を閲覧する機会を与える場合には、できる限り、五日（簡易裁判所では三日）の予裕を置かなければならないことを規定するが、これらの規定は、当事者が特定の証拠書類等の取調を請求する場合にのみ関する規定であつて、その取調を請求すると否と、また証拠書類等が証拠能力、事件との関連性を有すると否とを問わず、その所持の証拠書類等の全部を無差別に相手方に閲覧させる機会を与えるべき義務を定め、もしくは裁判所がこれを命令しうべきことを定めたものではない。単に当事者の攻撃防禦を適切、迅速、集中的に行わせるため、第一回の公判期日前もしくはその後の公判の段階において、当事者が特定の証拠書類等の取調を裁判所に請求するについては、相手方にその証拠の存在、内容を知らせ、その取調に関し速かに異議を申立てることをえさせようとするに過ぎないものである。当事者が取調を請求することを決するに至らない証拠書類等をまで、予め相手方に閲覧の機会を与えなければならないことを定めたものではない。

刑訴法三二一条一項二号後段により証拠とすることができる書面については、検察官は、必ずその取調を請求しなければならない（刑訴法三〇〇条）。が、かような検察官に対する供述調書のような書面について、検察官に公判での取調請求義務が生ずるのは、供述者が公判またはその準備期日で右供述調書と相反するかもしくは実質的に異つた口頭の供述をした後であつて、しかも供述調書の方を信用すべき特別の情況の存すると認められうる場合に限られること明らかである。

また刑訴規則一九三条によれば、公判において、検察官は、まず、事件の審判に必要と認める証拠の取調を請求しなければならない。これは、当事者が最初証拠の取調を請求するに当つては、各自が必要ないし適当と認める証拠の全部を同時に取調請求の対象としなければならないとの趣旨であって、被告人の冒頭陳述、もしくは他の諸証拠に照らし不必要と認められる証拠をまで、証拠調の段階もしくは他の訴訟段階で検察官が弁護人に閲覧させなければならないことを定めたものでないこと明らかである。

その他の刑事訴訟法規をみても、検察官が所持の証拠書類又は証拠物につき公判において取調を請求すると否とに拘わりなく、予めこれを被告人もしくは弁護人に閲覧させるべきことを裁判所が検察官に命ずることを是認する規定は存しない」（最決昭三四・一二・二六刑集一三・一三・三三七二、評釈、松尾・ジュリスト続判例百選）。

【143】の命令に対して、平場教授は、「訴訟指揮は個別訴訟における規則制定権の発動であり、個別訴訟における規則制定は判決裁判所に委任せられている」という見地から、法令に明文の根拠を求めずとも本件のような訴訟指揮の裁判が、（その内容はしばらく措き）不可能ではないとされた（前掲評釈参照）。最高裁判所は、しかし、【144】に見るように、法文上の根拠を克明に検討し、結局かような命令権はないと判断した。この態度は、あるいは謙抑に過ぎたのではないかとも思われるが、最高裁判所としては、命令の不履行ないし履行の強制から生ずる混乱が耐え難いものと感じられたのであろう。このことは、【144】に附された垂水裁判官の補足意見からうかがうことができる。

〔144における垂水裁判官の補足意見〕「検察官は、公益の代表者という公正であるべき当事者であるから……所持の物的証拠について公判で取調を請求する前に被告人側にこれを見せることは、故意過失による証拠の湮滅、他の共犯その他の牽連事件の捜査、訴追に対する重大な支障を来たす虞が強くない限り、拒否するに当らない筈ではないか。……〔しかし〕、検察官が公判の証拠調の段階で出すか出さないか判らない証拠を、被告人側の請求によつて、予め点検した上相当と認めるときは**これ**を閲覧させるよう公判裁判所又はその裁判長が命ずることは、起訴状一本主義……に反するであろう。……〔また〕、命令が適法であると仮定して、……検察官が手持証拠の全部又は一部の閲覧もしくは謄写をさせない以上、裁判長は……証拠調をする段階に入りえないか、入らなくてもよいか否か。そもそも裁判長は、検察官が命令を不完全にしか履行していないことや、

その不履行が公判の進行を停めるに値するものであるか否かを、起訴状一本主義の下で、どうして知り、判断しうるか。……不完全履行の程度、内容を問わず、裁判所は検察庁を捜索し、本件の証拠書類、証拠物を差し押えることができるのか。それとも、公訴を棄却する裁判をすることができ……るのか。……〔さらに〕、閲覧のみならず謄写、撮影することを、各弁護人が無制限にできるのか。……公判に未だ出されない検察側証拠が、謄写撮影後、新聞雑誌に公表論議されることが……ないとはいえない〔が〕……、これを防止する法的措置があるであろうか。……以上いろんな点について、現行法規は備わっていないと解される」。

思うに、裁判所の固有権という思想がかならずしも定着していないわが国において（法律優位説と規則優位説との間の論争が、前者の勝利において終局したことを想起せよ）、法規上の充分な根拠なしに、証拠閲覧のごとき尖鋭な問題を解決しようとするのは、策の当を得たものでない。したがって、刑事訴訟法ないし規則の改正という手段をとり、その法規のわくの中で、裁判所がある程度柔軟な裁量権の行使に努めるというゆき方が、おそらくは適切であろう。しかし、両当事者の意見が、激しく対立している事実自体、立法的解決にも多大の困難があることを示している。ここでは、論点の整理の意味で、次の考察を附け加えるに止めよう。

事前閲覧の対象となる証拠は、すでに一言したように、被告人の側から見て、有利なものと不利なものとに分けられる（実際には、一つの証拠が有利でもあり不利でもあることが少なくないであろうが、そのために第三の範疇を考える必要はない）。この区別に応じて、閲覧の必要な理由も異なってくる。三〇〇条の空文化の防止が説かれ、検察官の公益的性格が強調されるときは、前者の観点がとられており、不意打ちの抑制や証拠湮滅の問題が論ぜられるときは、後者の視角からの立論であることが明白である。比較法的な研究との接触においても、英米法における予備審問手続の存在は、不利益な証拠を開示する役割を果すのに対し、いわゆるディスカヴァリは、むしろ有利な証拠の発見に重点があるといつてよかろう（むろん、それだけではない）。これらの点を分別して考えることは、立法的規整の試みの上にも必要なことと思われる。ところで、わが国における現下の論争の中心をなしているのは、被告人に不利益な証拠、とくに捜査機関の作成した供述調書の閲覧の問題である。とくに、刑訴三二一条一項二号後段の適用のある書面について、証人尋問前に調書を閲覧できるかどうかは、反対尋問の成否に大きな影響をもつ重要な論点である。最高裁判所は、【144】と同じ第三小法廷でこの問題をとり上げ、【144】を引用しつつ、事前の閲覧請求権はないと判示した。

【145】「本件供述調書のような書面については、検察官は必ず取調を請求しなければならないが、検察官に公判での取調請求義務が生ずるのは、刑訴三二一条一項二号後段所定の場合に限られ、検察官が未だ取調を請求することを決定するに至らない証拠書類についてまで、公判において取調を請求すると否とにかかわりなく、あらかじめ被告人若しくは弁護人に閲覧させるべき義務はなく、申立人らに所論の如き閲覧請求権はないと解すべきことは、【144】の趣旨とするところであり、原決定は正当として維持すべきものである」（最決昭三五・二・九判時二一九・三四）。

【145】の背後には、いわゆる二号書面の証拠能力が比較的容易に認められ勝ちな訴訟の「現実」を強調する弁護人の見解と、人証優先の理念を掲げた訴訟法の「定め」を重視する検察官の立場との対立がある。この問題については、現行の証拠法そのものに対する再検討が必要であるかも知れない（英米法の側からするこの種の研究として、安倍「実質証拠としての自己矛盾供述」司法研修所記念論文集）。しかし、最高裁判所は、【145】のような判示で、当面の問題を解決してしまつた。これが、法実証主義的な思考に立つものか、それとも、現実批判的な意図に出るものであるかは、軽軽には判断し難いところである。

なお、証拠閲覧権に関しては、迅速な裁判の問題とも結びつけて考察しなければならないが、ここでは立ち入らない（附記　この点に関連して、刑訴規則の改正が進められていたが、昭三六・六・一の日附で公布された。千葉「刑事訴訟規則の一部を改正する規則について」法曹時報一三巻五号）。

三　強制処分立会権

弁護人は、裁判所が命令しまたは実行する各種の強制処分、すなわち差押捜索状の執行（刑訴一一三）、検証（刑訴一四二）、証人尋問（刑訴一五七）、および鑑定（刑訴一七〇）について立会権を認められており、また、検察官の請求により裁判官が行なう証人尋問（刑訴二二八）にも、裁判官の許可があれば立ち会うことができる。これらの強制処分は、差押捜索以外はすべて証拠調の性質をもっているから、当事者主義の色彩を濃くした新法のもとでは、従前よりも一層尊重されなければならない。そうしなければ、憲法三七条二項の証人尋問権の保障との関連において、違憲の問題を生ずるおそれもあるわけである。現行法における立会権の強化は、法文の上にも現われているが、次の【146】は、すでに旧法の解釈についてこの間の推移を明らかに述べている。

【146】「弁護人は被告人の利益を擁護する職責があるのであるから、裁判所は、弁護人に対して其職責を全うせしめる為め公判廷外の証拠調に付ても予め其施行の日時場所等を通知して、これに立会う機会を与えるのが相当である。殊に、検証に付ては、旧刑事訴訟法第一七八条、第一五八条第一項により、弁護人がこれに立会うことは其権利とされているのであるから、裁判所は、検証をなすに当つては、これに立会う機会を弁護人に与えなければならない。大審院の判例では、右の規定は訓示的のものであつて、弁護人を立会わせることは裁判所の義務ではないということになつているけれども、これは是認出来ない。検証は、調書の記載のみでは必ずしも事態の真相を把握し難い複雑微妙な点があるので、弁護人がこれに立会つて実地に見聞すると否とは、被告人の利益に重大な影響があるのみならず、現場に付て被告人の主張をよく説明し、裁判所の注意を喚起する必要ある場合も少くないのである。其故、弁護人に立会の機会を与えることは、裁判所の義務と解すべきである。前記規定を訓示的のものと解するが如きは、被告人並弁護人の権利を重視する新憲法下において、殊に許さるべきでない。本件

においては、……遠隔の地において実施される検証が、其当日、しかも所定時刻経過後に至つて、初めて弁護人に知らされたのであるから、弁護人はこれに立会う機会を全く与えられなかつたものというべく、其立会なくして行われた検証の調書を証拠に採つた原審の措置は、違法である」（最判昭二四・五・一八（大法廷）刑集三・六・七八三（旧））。

右【146】には、沢田、斉藤両裁判官の反対意見があるが、反対意見には職権主義的な思考態度が顕著にあらわれている。なお、判文中に言及されている大審院判例は、「法第一七八条ニ於テ検証ヲ為スベキ日時及場所ヲ検事及弁護人ニ通知スベキ旨ヲ定メタルハ、一ノ訓示規定ニ過ギザルヲ以テ、之ニ違背シタレバトテ、予審判事ガ適法ノ手続ニヨリ為シタル検証ノ無効ヲ惹起スルコトナキモノトス」（大判昭二・七・一二刑集六・二六三（旧））、「法第二二七条ニ於テ、鑑定ヲ為スベキ日時場所ヲ検事及弁護人ニ通知スベキ旨ヲ定メタルハ、一ノ訓示規定タルニ過ギ〔ズ〕」（大判大一五・一二・二四刑集五・五九三（旧））として、一貫した見解を示していた。これらは、現行法のもとでは、もはや維持することができないのである。

弁護人の強制処分立会権は、何故強調されなければならないか。それは、被告人のもつ反対尋問権を、実質的に補完するものとして重要な役割を果すからである。反対尋問権の重視という思想は、旧法時代には存在しなかつた。旧刑訴は、押収捜索（旧刑訴一五七）、検証（旧刑訴一七八）について被告人・弁護人の、証人訊問（旧刑訴三〇二・三二六）、鑑定（旧刑訴二二七）について弁護人の、立会権を認める規定を置いたが、これらの規定に反して得られた証拠も、必ずしも無効とされなかつたことは、前示大審院判例の示すごとくである。また、証人訊問の立会については、訊問権の有無が争われ、単に立会を認めるだけだとする見解もあつた（平井・刑訴法要論（大一五）五九九頁、六四六頁）。現行法は、この節の冒頭に掲記した各法条によつて、旧法を継承し、とくに、証人尋問に関しては、被告人・弁護人に立会権　および尋問権を認める明文をおき、かつ、尋問事項の事前告知等に関する規定を設けて、反対尋問権を実質的に保障する措置を講じている（刑訴一五七―一五九）。これらの規定は、証人尋問調書の証拠能力を定めた刑訴三二〇条以下の規定との関連において、重要な意義を有する。この点の詳細は、すでに本叢書において、浦辺判事が論じておられるところに譲り（「被告人の証人審問権の範囲」（昭三三））、以下、弁護人の権利という視角から、二つの問題に言及するにとどめる。

第一に、捜査段階における証人尋問に際しては、被告人（被疑者を含む）および弁護人の立会権は原則的に排除され、裁判官が「捜査に支障を生ずる虞がないと認めるとき」に限つて、立会を許されるに過ぎない（刑訴二二八Ⅱ。立会を許されたときは、総則の適用があり、尋問もできる。刑訴二二八Ⅰ・一五七Ⅲ）。旧法のもとで予審判事の行なつた証人訊問においては、予審判事が「公判ニ於テ召喚シ難シト思料スル証人ヲ訊問スル場合」に限り、かつ「急速ヲ要スルトキ」を除いて、前記のような弁護人の立会権が認められていたが、現行法の二二八条の立会権も、裁判官の裁量的な判断にかかつている点で、その保障ははなはだ弱いといわなければならない。このことは、証人尋問調書が、刑訴三二一条一項一号書面として、証拠法上有利な取り扱いを受ける関係で、深刻な論議を呼び起し、憲法違反ではないかという疑問も提出されていることは、周知のとおりである。しかし、最高裁判所は、多数の判例を通じて、違憲論を斥けてきており（浦辺・前掲書五三頁以下）、とくに、刑訴二二八条の手続自体が争われた事案では、調書の証拠能力は別個の問題で、刑訴二二八条自体に違憲の問題を生ずる余地はないという態度をとつて、上告を棄却している（最判昭二七・六・一八（大法廷）刑集六・六・八〇〇）。次の【147】は、この大法廷判決を引用しつつ、検察官の請求による証人尋問の日時・場所を事前に弁護人に通知するかどうかも、裁判官の裁量だとしたものである。判旨に全然疑問がないわけではない。

【147】「刑訴二二六条、同二二七条にもとづく裁判官の証人尋問に際しては、同二二八条二項は「裁判官は捜査に支障を生ずる虞がないと認めるときは、……弁護人を……尋問に立合わせることができる。」と定め、この場合の証人尋問には弁護人の立合を任意にしているのである（かかる立会の任意であることについては、昭和二五年(あ)七九七号、同二七年六月一八日大法廷判決。判例集六巻六号八〇〇頁参照）。従って右の証人尋問の場合、刑訴一五七条の二項の適用はないものというべきである」（最決昭二八・三・一八、刑集七・三・五六八）。

第二に、証人尋問一般について、立会権は、被告人および弁護人の双方に与えられている（法文には、「被告人又は弁護人」とあるが、両者を意味することもちろんである。団藤・条解二七五頁。なお、検察官はいうまでもなく、法文上つねに立会権を認められている）。しかし、旧法では、証人訊問の立会が許されたのは、もっぱら弁護人であり、被告人は立会権を有することがなかった。現行法は、憲法三七条二項の保障する被告人の権利の具体化として、第一次的に被告人の反対尋問権を尊重しているものと思われる。むろん、反対尋問権は、放棄を許さない権利ではないから、現実に立ち会わせることは必ずしも必要でなく、立ち会いの機会を与えれば足りるわけである。しかし、それにしても、被告人が身柄の拘束を受けているばあいには、立ち会いのために身柄を移さねばならぬという不便が伴うことは免れない。差押捜索状の執行の立会に関して、「身体の拘束を受けている被告人」を除外する明文があるのは、その点の労を省くためである（刑訴一一三I但。検証にも準用される、刑訴一四二）。証人尋問については、このような但書は設けられていない。ところが、最高裁判所は、憲法三七条二項の解釈として、弁護人に立ち会いの機会を与えさえすれば、拘禁中の被告人にはその機会を与えなくてもよい、とする一連の判例を公けにした。リーディング・ケースと目されるのは、次の【148】である。

【148】「憲法三七条二項は、刑事被告人の証人審問権を保障した規定である。……しかし……裁判所が証人を裁判所外で尋問する場合に、被告人が監獄に拘禁されているときのごときは、特別の事由なきかぎり、被告人弁護の任にある弁護人に尋問の日時場所等を通知して、立会の機会を与え、被告人の証人審問権を実質的に害しない措置を講ずるにおいては、必ずしも常に被告人自身を証人尋問に立ち会わせなくても、前記憲法の規定に違反するものではない」（最判昭二五・三・一五（大法廷）刑集四・三・三七一（旧））。

【148】では、弁護人は証人尋問に実際に立ち会っているが、次の【149】は、弁護人に通知をしただけの事案について、【148】の判旨を踏襲して、違憲違法の点はないとした。

【149】「記録を調べてみると……検証現場における証人尋問に被告人は立会わず、又被告人にその期日を通知したという形跡もないけれども、当時被告人は勾留中であったのであるから、かような場合には、必ずしも被告人自身を証人訊問に立会わせなくとも、被告人弁護の任にある弁護人に、訊問の日時場所等を通知して立会の機会を与え、被告人の証人審問権を実質的に害しない措置を講ずれば、憲法第三七条第二項の規定に対する違反を生じないこと、当裁判所の判例（【148】）に徴して明らかである。しかるに、弁護人は、証人訊問期日の通知を受けたに拘らず、自ら出頭しなかったのであり、又出頭しなかったことにつき正当の理由があったと認めるべき資料もない。のみならず、原審公判の証拠調に際して、裁判長から、証人Wの被害始末書、同人に対する訊問調書等の各要旨を告げ、意見弁解の有無を問い、他に利益の証拠があれば提出し得る旨を告げても、被告人も弁護人も、他に申請する証拠はないと答えている。かように、裁判所側においては、被告人の証人審問権を害しないように相当の措置を講じた上で、Wの被害始末書記載の一部を証拠として採用したのであるから、原判決には所論のような違法はない」（最判昭二五・九・五刑集四・九・一六〇四（旧））。

以上の【148】、【149】は、いずれも旧法事件であるが、新法については、まず、控訴審における証人尋問について、次の【150】があり、【148】の判旨が維持された。

【150】「記録によれば、右Kについては、〔昭和二六〕年五月一九日、原審が現場の検証をし、あらかじめ決定されていた各証人を尋問する際、法廷外で、職権により同人をも証人として尋問しようと欲し、立会つていた検察官、並びに被告人の弁護

人にその意見を聴き、両者共然るべくと答えたので、職権で同人を証人として尋問する旨証拠決定をなし、即時同所で尋問したものであつて、右証人尋問には被告人の弁護人が立会い、被告人のため同証人に対し直接尋問する機会は与えられたものであることが明らかである。『裁判所が証人を裁判所外で尋問する場合に、被告人が監獄に拘禁されているときのごときは、特別の事由なき限り、被告人弁護の任にある弁護人に尋問の日時場所を通知して、立会の機会を与え、被告人の証人審問権を実質的に害しない措置を講ずるにおいては』、必ずしも常に被告人に尋問の日時場所を通知せず、又被告人自身を証人尋問に立会わせなくても憲法三七条二項の規定に違反しないことは、当裁判所の判例とするところである（【148】、【149】）。そして本件においても、当時被告人が勾留中であつたことは記録に徴し明らかであるから、原審の前記措置は、被告人の証人審問権を実質的に害しないものというべきである」（最判昭二七・一一・一一刑集六・一一・七八、評釈、平出・刑評一四巻二事件）。

第一審における証人尋問に関しても、【150】とほぼ同じ時期に、同じ第二小法廷が、【148】に従つた判例を示したが、判例集には登載されなかつた（最判昭二七・二・八ジュリスト八号四八頁）。判例集に掲げられ、文献にしばしば引かれているのは、翌年の【151】で、これも第二小法廷の判決である。

【151】「記録によると、第一審判決において証拠として引用している証人S、同K、同I、同F等の各証言は、法廷外において取調べられたものであり、その尋問の期日場所について、刑訴一五七条二項の通知が被告人に対してなされておらず、従つて被告人はその尋問に立会つていない。当時、被告人は、本件第二事実につき名古屋拘置所に勾留中であつて、弁護人Mが右尋問に立会い、反対尋問をしたことがわかるのである。而して裁判所が証人を裁判所外で尋問する場合に、被告人が監獄に拘禁されているときのごときは、特別の事由なきかぎり、弁護人に立会の機会を与えてあれば、必ずしも常に被告人自身を証人尋問に立会わせなくても、憲法三七条二項の規定に違反するものでないことは、当裁判所の判例……である」（最判昭二八・三・一三刑集七・三・五六一）。

【148】から【151】に至る各判例の底流をなしているのは、弁護人による証人尋問権の代行という思想である（前出【20】参照）。弁護人に立会の機会を与えておけば、「被告人は直接にではないが、法律的知識及訴訟

技術の点において被告人より勝れる弁護人を通じ、証人に対し審問する機会は十分与えられていた」（福岡高判昭二八・五・二九福岡高検速報二五八）ことになるという考え方が、拘禁中の被告人に立会を認めなかつた取扱を是認させている。これは、学説の支持を得ていないけれども（団藤・条解二九一頁、高田・刑訴（改訂版）二九四頁参照）、すべてのばあいに拘禁中の被告人の立会を実行させる（証人尋問の日時場所を通知しただけでは、立ち会いの機会を与えたことにならず、被告人が立ち会わない意思を表示しない限り、現実に身柄を移さなければならない）ことは、実際上困難であろう。むしろ、判例にいう「特別の事由」の内容を充実発展させて、裁判所が、とくに必要と認めるときは、かならず被告人を召喚する慣行を作つてゆくことが望ましいと思われる。次の【152】は、弁護人だけが立ち会つた証人尋問調書を無効として、原判決を破棄した事例であるが、そこでは、弁護人があらかじめ被告人の立会を裁判所に要求していたことが根拠とされている（判文上明白ではないが、被告人は、拘禁されていたと推測される）。いわゆる「特別の事情」の一例となしえようが、「特別の事情」は、むろんこれに尽きるものではない。

【152】「記録を調べてみると、原審は、昭和二五年三月二八日の公判において、現場の検証及びその現場における証人二名の尋問をする旨の証拠決定をし、次いで同年四月四日弁護人Oから、書面を以て、右検証並びに証人尋問には被告人を立会わせられたい旨の申出をしたので、原審は、右検証には被告人を立会わせたが、同月六日、右証人の中のSの尋問を、同月八日午後一時から横浜市……K病院においてする旨の決定をしたのに、この決定謄本を弁護人Oにだけ送達し、被告人にこれを送達した跡なく、又他の方法を以て被告人に右証人尋問の日時及び場所をあらかじめ通知した跡もない。そうして、証人Sの尋問調書の記載によれば、その尋問に弁護人Oは立会つたことになつているが、被告人が立会つたという事実を看取するに足る資料を見出すことができない。刑訴第一五七条第一項は、被告人又は弁護人は証人の尋問に立会うことができると規定し、被告人又は弁護人のいずれかに立会権を認めてそのいずれかに立会う機会を与えさえすれば、右規定の要請を充たすことになるのであるが、本件の如く、すでにあらかじめ被告人を立会わせてもらいたい旨の意思の明示されている場合には、弁護人はとに

かく、被告人には必ず立会うことのできるような措置を採らなくてはならないと解することこそ、右規定の趣旨を完うする所以である。してみれば、原審の右証人Sに対する尋問は違法と言うの外ない」（東京高判昭二五・七・二八刑集三・二・三四五）。

ちなみに、【152】は、刑訴一五七条一項の解釈として、立会権は被告人または弁護人のいずれかに与えれば足りるとしているが、これは、傍論でもあり、判例とするに値しない説示と思われる（前出八頁参照）。

さて、弁護人による立会権ないし証人尋問権の代行という観点から、【148】以下の判例を眺めかえしてみると、判例相互間には、さらに若干の差異がひそんでいることがわかる。【148】では、証人尋問の日時場所は、弁護人だけでなく、被告人にも通知されていた。この点も【149】のばあいと違いがある。しかし、ここで強調しなければならないのは、むしろ、【148】と【149】との間に共通な事情として、問題の証人は、いずれも弁護人の申請に基づくものであり、証人尋問が行なわれること自体は、被告人の予期するところであった（【149】でも、証拠決定は被告人在廷の公判廷でなされている）。これらの事情は、被告人が、その証人尋問について事前に弁護人と打ち合わせる可能性があったことを肯定するひとつの資料となりうる。そうであってはじめて、弁護人による「代行」も根拠づけられるのである（平出・前掲評釈は、このような考え方から、【150】を批判されている。井上「裁判所外の証人尋問」判例学説刑事訴訟法も同じ）。【150】では、事案は明らかに違っている。尋問された証人は、職権によるものであり、決定は被告人のいない検証現場でなされ、即刻施行された。かような手続が、もし第一審で行なわれたとすれば、違法といわなければならないであろう。けだし、「被告人の意思と全く遊離」（平出・前掲評釈一五頁）しているところに、「代行」を認めることはできないからである。【151】では、証拠決定は公判廷でなされ、その七日ないし八日後に出張尋問が行なわれて、弁護人が立ち会っているが、Sほか三名の証人は、いずれも検察官の申請にかかる証人で、事案としては、やや微妙なものがある。

以上に論じてきた「弁護人による代行」の観念は、証人尋問中における被告人の強制退席または退廷を定めた法規の基礎にもなっている。この種の規定は、暴力的犯罪対策の一環として、昭和三三年の改正で刑事訴訟法に追加された。公判期日外の証人尋問に関する二八一条の二、公判期日における証人尋問に関する三〇四条の二がこれで、ともに、「証人が被告人の面前においては圧迫を受け充分な供述をすることができない」と認められるときは、弁護人が立ち会っているばあいに限って、被告人を退席ないし退廷せしめてよいとする。旧刑訴では、「裁判長ハ証人其ノ他ノ者被告人又ハ或傍聴人ノ面前ニ於テ十分ナル供述ヲ為スコトヲ得サルヘシト思料スルトキハ其ノ供述中之ヲ退廷セシムルコトヲ得」（旧刑訴三三九Ⅰ前）という規定があり、弁護人の存否の如きは考慮の外におかれていた。しかし、新憲法および応急措置法のもとで、判例は、次のように、弁護人の立会を重視することによって、右規定の適用を是認している。

【153】「本件第一審第一回公判調書を調べてみると、……裁判所は証人訊問中被告人を退廷させたけれども、訊問終了後被告人に証言の要旨を告げて、証人訊問を促がしたのであり（それにも拘らず、被告人自ら訊問しなかつたのである）、且つ弁護人は終始訊問に立会い、自ら補充訊問もしたのであるから、これを以て、憲法第三七条第二項に反して、被告人が証人に対して審問する機会を充分に与えなかつたものということはできない」（最判昭二五・三・一五（大法廷）刑集四・三・三五五(旧)、評釈、井口・刑評一二巻九事件）。

現行法は、当初旧三三九条を引きつがなかつた（傍聴人の退廷については、刑訴規二〇二に規定がおかれた）。しかし、一部の事件における証人保護の必要が強調されるに及んで、この種の規定の復活を見たことは、さきに述べたとおりである。その際、弁護人の立会が要件とされた点で、【153】の判旨が生かされたとみることもできよう。

なお、証人の供述終了後、被告人に「証言の要旨」を告知する点は、旧法と同じであるが、単なる要旨の告知では不充分だとする批判がある（平野・刑訴（法律学全集）二四八頁）。速記の朗読、録音テープの再生などの方法を併用して、遺憾なきを期すべきであろう。

最後に、被告人退廷の特殊なばあいとして、法廷警察権の行使によるものがある。次の【154】は、裁判所法七一条二項の発動によつて被告人が退廷させられた事案である。

【154】「本件のごとく、被告人が証人審問の機会を与えられていたにかかわらず、その審問を妨害し、秩序維持のため遂に退廷させられたような場合には、被告人自らの責において反対尋問権を喪失したものというべきであつて、証人審問の機会を与えられなかつたものということはできない。しかのみならず、本件のように被告人の弁護人が終始証人尋問に立会い、且つ被告人のためにその証人を尋問しているときは、被告人の反対尋問権は弁護人によつて行使されているものというべきであつて、被告人自身がその審問に立会つていなくとも差支えないことは、当裁判所大法廷屢次の判例の趣旨とするところである」（最判昭二九・二・二五刑集八・二・一八九）。

【154】の判示は、その前段からすれば、被告人は退廷を命ぜられたことによつて反対尋問権を喪失し、もはや憲法三七条二項の問題を生じないというが如くでもあるが、その真意は、やはり後段の弁護人の立会の点をも重視して、違憲でないとするものであろう（伊達・最高裁判例解説刑事篇昭和二九年度二二頁は、その理由として、本件が小法廷の判決であること、および、弁護人の立会に関する大法廷判例を引用していることを挙げられる。引用されているのは【148】、【153】を含む四つの大法廷判例である）。

四　公判期日出頭権

公判期日に出頭して各種の訴訟活動を行なうのは、弁護人の基本的な権利である。法は、裁判所が弁護人に公判期日を通知し、出頭の機会を与えることを要求している。この点、旧旧刑訴では明文を欠いていたが、当時の判例学説は、弁護人の呼出が必要なことは明白だとしていた（富田・刑訴法要論一〇〇三頁参照）。旧刑訴は、被告人に対すると同様に、弁護人を公判期日に「召喚スベシ」という規定をおいた（旧刑訴三二〇I）。現行法は、これを修正し、弁護人には公判期日を「通知しなければならない」とした（刑訴二七三III）。けだし、弁護人の地位に照らして、検察官と同一の取扱をするのが適当だと考えられたからであろう。

「通知」の方法については、規則にも直接の規定はない（通知一般について、刑訴規二九八。主任弁護人があるばあいについて、刑訴規二五I）。次の【155】は、必ずしも送達の方法による必要はないとする。

【155】「記録に徴すると控訴裁判所においては、第一回公判期日を昭和二四年一一月二六日午前一〇時と定め、同月一〇日これを検察官、弁護人、被告人に通知したことが認められる。論旨の指摘するとおり国選弁護人Oに対しては、郵便送達報告書が編綴してないが、かかる通知は、特段の規定がない限り必ずしも送達の方法によることを要せず、適宜の方法でこれを行つて、これを記録上明らかにしておけば足りるものである」（最判昭二五・一二・二六、刑集四・一二・二六三二）。

しかし、実務は、「（弁護人に対する通知は）、適当の方法で差しつかえないが、通知をしたことが明らかになつていないと、弁護権の不法制限として上訴審で破棄される虞があるから、確実を期するためには、送達の方法によるのが無難であろう」とする最高裁判所刑事局回答（刑事裁判資料六七号二〇九頁）の線で動いていると思われる。なお、出頭した弁護人から期日請書をとる方法も行なわれている（小野等・ポケット刑訴五四一頁）。

（一）通知がなされず弁護人が欠席したばあい　裁判所が弁護人に対する公判期日の通知を怠つたばあいには、その公判期日の審理は違法であり、これに基く判決の破棄の理由となるのが原則である。旧法では、「不法ニ弁護権ノ行使ヲ制限シタルトキ」が絶対的上告理由とされていたので（旧刑訴四一〇II）、弁護人を召喚せずその欠席のままで審理を行なえば、大審院で破棄されるのが例であつた。もつとも、被告人がその期日において欠席した弁護人の弁論を放棄すると述べているばあい（必要的弁護事件については、むろん他の弁護人があるときに限られる）、なお破棄理由とすべきかについては判例が分れ、「弁護人ヲ選任スルハ被告人ノ権利ニシテ、縦令一旦弁護人ヲ選任スト雖モ、其ノ弁護権ヲ拋棄スルト否トハ被告人ノ自由権内ニ属スルモノナレバ、被告人ガ出廷セル弁護人ノミニ弁論セシメ、其ノ他ノ弁護人ノ弁論ヲ拋棄スル旨申立テタルトキハ、弁護人ノ出廷ナキニ拘ラズ公判ヲ開廷スルモ違法ニ非ズ」（大判昭二・一一・二新聞二七七七・一四、評論一七刑訴四一(旧)）として原判決を維持したものと、「弁護権ガ不当ニ制限セラレタル場合ニ於テ、単ニ被告人ノミガ之ニ異議ヲ述ベザル旨ヲ陳述シタレバトテ之ニ依リ其ノ瑕疵ガ払拭シ去ラルベカラザルコトハ、弁護人ニ弁護権ヲ与ヘタル趣旨ニ照ラシ明瞭ナルヲ以テ、右ノ陳述アルノ故ヲ以テ違法ノ手続ヲ適法ナラシメタリト為スベカラズ」（大判昭六・五・七刑集一〇・二一一(旧)）として原判決を破棄したものとが対立していた。最高裁判所は、後者に与し、次の【156】でこれを明らかにした。

【156】「原審第二回公判調書によれば、原審は、昭和二二年一一月一〇日の第二回期日において、弁護人の一人Yの不出頭のまま……審理を為し、被告人の最終陳述の直前、被告人から弁護人Yの弁論を拋棄する旨の陳述があつて後弁論を終結した経緯を知ることができる。しかも原審が、右第二回公判期日前に同弁護人に対し該期日召喚状を送達し、若しくは同弁護人から右期日に出頭すべき旨を記載した書面を受領した形跡は、記録上全然窺うことができないから、結局、原審は、右公判期日においては、同弁護人を召喚しないで審理を為し、弁論を終結した違法あるものと認めるの外ない。尤も右期日において、被告人は、同弁護人の弁論を拋棄する旨の陳述を為したことは前記の通りであるが、元来弁護人は、刑事訴訟法上被告人に属する権利を行使する外、その独自の立場において被告人の利益を擁護する固有の権利をも有するものであるから、前叙のような弁護人を召喚しないで審理した手続上の瑕疵は、単なる被告人の弁論拋棄の陳述によつて治癒せられるものと解するを得ない」（最判昭二三・四・六刑集二・四・二九二(旧)、評釈、団藤＝北本・判例研究二巻二号、平野・刑評八巻四五事件）。

【156】と同じ趣旨は、最判昭二五・九・五（刑集四・九・一六一四(旧)）でもくりかえされたが、新法についても、次の高裁判例【157】がこれに従つた。

【157】「原審は……弁護人Mに通知〔したのみで〕弁護人Oに対して〔公判期日の通知をなさず〕……弁護人Oをして全くその弁護権を行使せしめることなくその公判手続を開始、進行終結して判決の言渡をなしたもので、かくの如きは弁護権を全く制限した顕著な事例といわなければならない。尤も右第二回公判調書の記載によれば、被告人は弁護人Oの弁論を拋棄する旨陳述しておるけれども、公判期日の通知をしなかつた弁護人の弁論の拋棄又は右弁護権の制限に対する被告人の承認は、未だもつて右弁護人固有の弁護権の制限という瑕疵を治癒し之を違法でないものとなすことはできない」（名古屋高判昭二五・八・二一特一三・七〇）。

これと対蹠的な判旨を示したのは、次の【158】で、【157】と同様なシチュエイションにおいて黙示の放棄による瑕疵の治癒を認め、原判決を維持した。

【158】「弁護人に対する公判期日の通知なくして公判を開廷したとすれば、それは明に訴訟手続の違背であると共に、一面弁護権の制限ともなるので、その違背は判決に影響すべき性質のものであると謂はなければならない。しかし翻つて考えると、訴訟手続は往々にして治癒せられる場合がある。弁護人に対する公判期日の不通知にしても、該弁護人が公判期日に出頭して異議なく弁論を為した場合とか、又は被告人が後日該弁護人を解任した場合とか、或は被告人が該弁護人の弁論を拋棄した場合等に於ては、右の不通知の瑕疵は、完全に治癒せられて何等の問題を生ずることが無いのである。これを本件に就て看るに、原審が弁護人に対して公判期日を通知しなかつたことは、明に違法であるが、右の瑕疵中、D弁護人に対する不通知の点は、同人の異議なく出頭したことによつて完全に治癒せられ、T弁護人に対する不通知の点は、被告人が、原審公廷に於て、暗黙の中に同弁護人の弁論を拋棄したことによつて、これ亦完全に治癒せられている」（名古屋高判昭二七・七・二一刑集五・九・一四七七、評釈、山口幾次郎・神戸法学三巻一号）。

【158】の結論に対しては、批判的な意見が強い（山口・前掲評釈、高田・判例展望二八七頁。ただし、【158】には、はたして通知が欠如していたかという事実点にも疑問がある）。公判期

日の立会が弁護人の固有かつ基本的な権利であることを考えれば、相弁護人が出席していたとはいえ、被告人の暗黙の放棄で「完全に治癒せられ」たと言い切つたのは、新法のもとにおいても行き過ぎの感を免れないであろう。次の二つの判例は、いずれも【158】とは相反し、【157】の系列に属している。

【159】「第一回公判期日には、被告人及び弁護人N同Y並びに被告人が当日連署を以てその選任の届出を為した弁護人Aが各出頭したが、前記弁護人Sは出頭しなかつたところ、裁判所は同弁護人不出頭のまま公判を開き、裁判官は被告人に対する人定質問をした後、主任弁護人をAと指定し、検事の起訴状朗読後、引き続き実体審理に入つたことを……認めることができる。而して裁判官が公判期日を定めたときには、被告人を召喚し、かつ弁護人全員に対し右期日を通知しなければならないのであるが、原審が、右公判期日前、右S弁護人に対し該期日の通知状を送達したり、同弁護人から右期日に出頭すべき旨の請書を徴した形跡は記録上全くこれを窺うことができないから、結局、原審は、右公判期日において、同弁護人に通知をしないで審理をした違法があるものと謂うの外はない。もつとも、原審裁判官が右公判期日において主任弁護人を指定したことは前認定のとおりであるし、被告人も亦右S弁護人不出頭のまま審理をすることについて何等異議を述べなかつたことは記録上明かであるけれども、弁護人は、刑事訴訟法上被告人に属する権利を行使する外、その独自の立場で被告人の利益を擁護する固有の権利をも有すること勿論であるから、弁護人に通知をしないで審理を行つた前記手続上の瑕疵は、右主任弁護人の指定や、被告人がS弁護人不出頭のまま審理をすることについて異議を述べなかつたことによつて、治癒せられたものと解することは出来ない」（東京高判昭二四・一一・五判タ一七・二三）。

【160】「原審の右昭和二六年一二月一一日以降開かれた各公判期日には、他の弁護人（原審弁護人S、同T）が立会つて居り、被告人もH弁護人の不出頭について別段異議を申述べた形跡もなく、又昭和二六年一二月一〇日附原審弁護人S及び同Tの連署を以て、Sを主任弁護人に選任する旨の届を原審に提出しているけれども、右選任届は前記H弁護人の連署を欠く不適法なものであるばかりでなく、弁護人は訴訟法上被告人に属する権利を行使する外、その独自の立場から被告人の権利を擁護する権利をも有するものであつて、その公判期日に出頭することは当該弁護人の基本的権利とも言うべきものであり、しかも、H弁護人が右期日の通知を受けなかつたことについて、同弁護人に何等の瑕疵も記録上認められないから、たとえ爾余の弁護人が公判期日に立会し、被告人に於て特にH弁護人の不出頭に異議を述べなかつたとしても、前記公判期日の通知を同弁護人

にしなかつたことの手続上の瑕疵は治癒されるものではない」（高松高判昭二八・六・一一特三六・一一七）。

【159】、【160】は、被告人が単に異議を述べなかつたに過ぎない点で、放棄の陳述をした【157】と異なるが（なお、主任弁護人の問題を含む点にも差異がある。【157】では、主任弁護人は指定されなかつた）、その骨子は同一であり、結局【157】を支配的判例と見てよいであろう。もつとも、すべてのばあいに「不通知は破棄」という原則が貫かれるわけではない。次の【161】および【162】は、控訴審の手続についてこの原則の緩和を認めた例、【163】は、通知を受けず出頭しなかつた弁護人が、被告人の希望とかかわりなく実質的には第三者によつて選任されたものに過ぎないという特殊事情があつたばあいである。

【161】「記録によれば、被告人は原審で初め弁護人を私選しない旨回答しながら、被告人のために弁護人が国選せられ、被告人及び国選弁護人の双方から控訴趣意書の提出があり、国選弁護人に右公判期日の通知が為された後になつて、新たに弁護人を私選しているのであり、同公判期日には、さきに私選弁護人の選任によつて一たん解任された国選弁護人が再任せられたのであるが、同期日に出頭した被告人は、これに対し何ら異議の申立もせず、また同弁護人は、同公判で、被告人及び国選弁護人の控訴趣意書は勿論、弁護人の選任届と同時に提出せられた前記私選弁護人の控訴趣意書に基いて弁論しており、原判決もまたこの三者について適確な判断を与えているし、更に判決言渡期日たる同月七日午前九時の第二回公判期日は、右私選弁護人にも適法に通知せられているのに、同弁護人よりは弁論再開の申請等の申立もなく、原判決は同弁護人出頭の上同公判で言渡されたことが窺われる。かかる事情が認められる以上、たとい原審訴訟手続に前記のような刑訴二七三条違背があつたにしても、それは未だもつて原判決破棄の理由と為すに足らないものというべきである」（最判昭二七・一〇・七刑集六・九・一一〇九）。

【162】「〔昭和三二〕年九月二八日の公判期日の通知が適法に同弁護人になされていないことは所論のとおりであるが、その後同年一二月二四日の判決宣告期日の通知書は、同年一一月二七日午前一〇時書留郵便に付して弁護人に送達されたことが記録上明らかであるから、弁護人としては、判決宣告までに弁論再開の申立をする等自ら弁論をする機会を得ることができた筈であるのに、そのことなくして経過したばかりでなく、控訴趣意書は提出せられており、これに基き国選弁護人によつて弁論が

なされ、且つ検察官の控訴趣意に対しても国選弁護人による答弁がなされていることが記録上明らかであるから、前記のごとき九月二八日の公判期日の通知が適法になされなかった違法があったとしても、これによって被告人が資格を有する弁護人を依頼することのできる権利が侵害せられたり、弁護権の行使が不当に妨げられたりした事実は、到底認めることはできない。されば所論違憲の主張は前提を欠くものであって採るを得ない」（最判昭三四・五・七刑集一三・五・六〇六）。

【163】「被告人において、第一審公判中、起訴後選任された弁護人が終始公判に出席して弁護権を行使していることに満足しており、他の弁護人の弁護については全く無関心で、前記手続違背を知ることができたにかかわらず、何等の異議を述べておらず、その後控訴審における弁護人の選任に当っても、その弁護人を選任していない実情のもとにおいては、前記の如き訴訟手続の違背があっても、特に被告人の防禦に不利益を来したものとは認められない」（大阪高判昭三三・一一・一六高裁特報五・一一・一四）。

（二）通知がなかったが弁護人が出頭したばあい　弁護人に対する召喚を怠った違法があっても、その弁護人が公判期日に出頭すれば破棄理由とならないことは、早くから認められてきた。

【164】「現ニ期日変更セラレタル第二回公判ニ於テ各弁護人出頭シ、弁論ニ参与シタルコト明白ナルヲ以テ、何等弁護権ノ行使ヲ妨得シタル不法アリト謂フベカラズ」（大判大一三・四・一刑集三・二六五(旧)）。

新法については、次の【165】がある。

【165】「原審第一回公判期日における被告人の召喚及び弁護人に対する公判期日の通知が、何時如何なる方法によってなされたか記録上明らかでないことは所論の通りであるが、……被告人及び弁護人は、如何なる方法によったかは別として、右公判期日に出頭すべき裁判所の命令を予め了知し、その公判期日に出頭して何等異議なく公判手続がなされておるのであるから、右訴訟手続の違背は結局判決に影響を及ぼさなかったものと認むべきである」（東京高判昭二八・三・一八刑集六・二・二八七）。

公判期日の通知は、要するに弁護人の出頭を可能ならしめる手段であるから、現実に出頭したばあいには、通知の欠如自体を事後的に問題にする必要はない（その場で異議を述べれば別論）。なお、【165】では、通知は行なわれたものと判断して、記録の不備の点（刑訴規二九八Ⅲ）を「訴訟手続の違背」としている。

（三）通知はあつたが弁護人が出頭しなかつたばあい　召喚・通知は適法に行なわれたが弁護人が出頭しなかつたばあいについても、判例は以前から弁護人欠席のまま審理してよいという原則を認めている。【164】、【165】と逆に、

【166】「適法ナル手続ニ依リ召喚ヲ受ケナガラ公判期日ニ出廷セザリシ弁護人ハ、自ラ期日ヲ懈怠シタルモノニ外ナラザレバ、本件ノ如ク開廷ニ弁護人ヲ要セザル事件ノ審判ニ付テハ、出廷シタル弁護人ニ弁論ヲ為ス機会ヲ与フレバ足リ、如上不出廷ノ弁護人ノ弁論ヲ聴カズシテ弁論ヲ終結スルモ違法ニ非ズ」（大判昭八・五・二三刑集一二・六〇八(旧)）。

【166】の判示は、最判昭二四・八・九（刑集三・九・一四三七(旧)）で、字句もほとんどそのままくりかえされた。次の【167】は、同じく旧法に関する最高裁判例、【168】は、現行法に関する高裁判例で、それぞれニュアンスはあるが、基本的には【166】の趣旨が維持されている。

【167】「原審第三回公判期日には、T弁護人は出頭すべき筋合であつて、同弁護人が何等正当の事由を告げることなくして同期日に出頭しなかつたことは、むしろ同弁護人の職責を尽さないものと見るべきである。されば、被告人が同期日の公判廷においてかかる弁護人の弁論を抛棄した以上、原審には何等弁護権の行使を不法に制限した違法はない」（最判昭二四・二・二一(大法廷)刑集三・二・二〇四二(旧)）。

【168】「S弁護人は、右第八回公判期日の通知を受け乍ら、正当の事由なくして出席しないで自ら該期日を懈怠したものであり、且つ同公判期日に〔おいてなされた訴訟関係人の陳述は〕……すべて従前のそれと全く同一にして何等附加された点がないのみならず、弁護人S欠席のまま……審理判決することにつき、右主任弁護人及び被告人等において異議を述べ審理の続行を求めた形跡は存しないから、原審の右措置は、S弁護人の……弁護権の行使を不法に制限したものとは謂い難く、右手続に所論の如き訴訟手続の法令違反は存しない」（福岡高判昭三一・二・二八高裁特報三・六・二四三）。

これらの判例は、適法な召喚・通知によつて出頭の機会を与えた以上、正当な事由なく出頭しなか

つたときの責任は弁護人にあるという考えに立脚している。抽象的な命題としてはそのとおりで、問題は、何が「正当な事由」であるかをめぐつて生ずる。実際にしばしば争いになるのは、弁護人があらかじめ公判期日変更を申請したが、裁判所はこれを認容せず予定通りに期日を開いたばあいである。このばあいには、弁護権の保障と集中審理の要請とが相対立し、困難な問題を露呈するが、判例は、次のように、具体的妥当性を考慮しながらも厳格な態度をとつている。新法事件にかぎつて掲げると、

【169】「原審弁護人は、既に昭和二六年一月二二日附で指定されていた同年二月一三日の平簡易裁判所における刑事事件の公判期日を原裁判所に通知することを怠り、その結果、原裁判所が……第二回公判期日を偶々右二月一三日に指定したのであるから、原審弁護人が同日仙台高等裁判所に出頭できなかつたことは、結局自らの懈怠に基くものであつて、同裁判所が、同年二月九日になされた公判期日の変更申請にかかわらず、審理判決したことをもつて、弁護権の行使を不法に制限したということはできない」（最判昭二六・九・一四刑集五・一〇・一九二八、評釈、山崎・刑評一三巻五五事件）。

【170】「記録を調べてみると、原裁判所が、原審第二回公判期日（昭和二八年二月一二日）に、次回公判期日を同年二月一七日と指定告知したこと、原審弁護人Hにおいて、同日も他の裁判所の公判があるため差支がある旨の証明書を添えて同月一四日附変更申請をしたのにかかわらず、原裁判所が右期日にその変更申請を却下し、国選弁護人を附して審理を遂げた上、判決言渡期日を同月二六日と指定告知し、同言渡期日に右原審弁護人Hの弁論再開申請を却下して判決言渡をしたことは所論のとおりであるが、原審裁判所においては、既に第一、二回公判期日をいずれも右弁護人の変更申請を容れて変更し、前記第二回公判期日に次回公判期日を二月一七日と指定するに当つては、同弁護人からは同月七日附変更申請があつたに止まり、同申請には別段右二月一七日が同弁護人の支障日である旨の記載はなかつたことであるし、右第三回公判期日においては、新らたに選任された国選弁護人によつて、被告人の選任した前記原審弁護人提出の控訴趣意書に基いて弁論がされたこと、その控訴趣意書の内容も、本件犯情等を掲げて原判決の量刑不当を主張する外、原判決認定の四〇数個の犯罪事実中の一の贓物故買代金額の誤記をとらえて事実誤認を主張するものにすぎず、特に新らたな事実証拠の取調を要する趣旨でもないから、原審の措置はまことに正当であつて、所論は理由がない（【169】ほか一件参照）」（最決昭二九・一二・一八刑集八・一三・二一五八）。

右二件は、いずれも同一日時に別件公判があつたばあいであるが、そのうち【169】では、第一回公判期日においても弁護人は別件公判でさしつかえ、延期申請を提出して欠席したので、裁判所は一応期日を開いたが次回期日の指定・告知だけにとどめたという事情がある。結局、【169】、【170】とも、「たとい公判期日の変更申請が弁護人の他の裁判所における訴訟事件立会のための差支によるものであつても、それが度重なるにおいては、かかる事由は期日の変更を求める正当な理由とはならない」（最判昭二五・三・一四刑集四・三・三三〇(旧)）という原則の適用と見ることができよう。なお、【169】の判決理由中には、「〔公判期日が競合したときは〕、特別の事情のない限りは、弁護人は先に指定された公判期日を遵守すべきことは当然である」と判示されているが、これは傍論にとどまる。

弁護人の病気によるさしつかえの事例として、次の【171】がある。

【171】「記録によると、原審弁護人Sは、昭和三〇年八月頃から乳糜病のため全身衰弱が甚だしいというのに、漸く原審の第一回公判期日（同年一一月一八日）の三日前に公判期日の変更申請をしたに止まり（右公判期日の通知は二ケ月余りの余裕を以て右弁護人になされている）、添附の診断書によればなお二ケ月の安静加療を要するものとされている。控訴審において弁護人は控訴趣意書に基いて弁論をするものであるが、S弁護人の控訴趣意書には量刑不当の主張があるに止まり、事実の点については争がない……。……被告人は判決言渡期日には出頭しておりながら右の原審第一回公判期日の手続につき何ら異議を述べることもなく、またS弁護人からも書面による異議の申立もされなかつた……。このような事情の下では、原審の〔期日を変更せず国選弁護人を選任して弁論させた〕手続は違法とはいえず、違憲の主張はその前提を欠くものである」（最決昭三三・五・六刑集一二・七・一三二七）。

（四）　通知を要しないばあい　弁護人に対する公判期日の通知について、判例は、解釈上次のような例外を認めようとしている。

(1)　続行期日　適法に開かれた公判期日において、裁判所が次回期日を告知したばあい、これを不出頭の弁護人にあらためて通知すべきかという問題を生ずる（弁護人が出頭していれば、むろん通知はなされたことになる）。召喚・通知によって適法に出頭の機会を与えられた公判期日に正当な理由なく出頭しなかつた以上、責任はその弁護人にあるという【166】－【168】の趣旨を徹底させれば、右のばあい次回期日の召喚・通知は必要でないということになる。この結論は、【172】で大審院のとるところとなり、最高裁判所も旧法事件について【173】のようにこれを踏襲した。

【172】「原審第一回公判期日ニ付テハ所論弁護人ニ対シ適法ナル呼出アリタル事記録ニ徴シ明白ナレバ、弁護人ガ同期日ニ出頭セザリシハ其ノ懈怠ニ出デタルモノト言フベク、同期日ニ於テ適法ニ次回期日ノ告知ヲ為シ之ガ出頭ヲ命ジタル以上、……特ニ召喚状ノ送達ヲ為サザルモ、之ヲ以テ不法ニ弁護権ノ行使ヲ制限シタルモノト言フコトヲ得ズ。……蓋シ此ノ出頭命令ヲ以テ、現ニ期日ニ出頭シタル者ノミニ対シ効力ヲ有スルニ過ギザルモノトセンカ、期日ヲ懈怠シタル者ニ対シテモ更ニ召喚状ノ送達ヲ要スルコトトナリ、却ツテ出頭義務ヲ履行シタル者ニ比シ多クノ便益ヲ受クルニ至リ、故ナクシテ勤怠其ノ地ヲ換ユルノ不条理ニ陥ルベケレバナリ」（大判大一三・一〇・一六刑集三・七〇二(旧)）。

【173】「原審第五回公判期日（昭和二四年二月五日）には弁護人Uが不出頭であつたにもかかわらず、原審は同公判期日において指定した第六回公判期日（昭和二四年二月一七日）につき同弁護人に適法な召喚手続……をとらなかつた。……判例をさかのぼると、大審院時代に、第一回公判期日につき弁護人に対し適法な召喚手続がとられている以上、……裁判所が公判廷において次回期日を指定告知すれば足り……る、との判例がある（【172】。昭和九年一一月二〇日大審院判決）。今日においてもこの判例を変更すべき理由はないと思われる。こういう場合にも、実際上の取扱としては、当日不出頭の弁護人にも次回期日の召喚状を適宜送達するのが普通であるが、たまたまそれをしなかつたからとて、法律の要求する手続を怠つたものとは言われない。適法に召喚を受けた公判期日に何ら納得すべき理由なくして欠席した弁護人は、同公判期日における審理の進行状況、次回期日指定の有無等については、自ら進んでこれを確かめるだけの努力をすべきこと、弁護人としてはむしろ当然の事である。殊に、本件のごとく、被告人および相弁護人が公判期日に出頭して次の期日の指定の告知を聞いた場合には、被告人また

は相弁護人において次回公判期日までに欠席弁護人と連絡を取つて公判の準備を整うべきであり、もしやむを得ない事情によつて再び出頭し得ない場合には、延期の申請その他適当な手段がありそうなことである。……要するに、原審が『不法に弁護権の行使を制限した』とは言い得ない」（最判昭二四・六・七刑集三・七・九五三(旧)）。

【173】が、弁護人ないし被告人の責務について説くところはまことにもつともであり、またこの事案のU弁護人は、第一回から第五回まで毎回適法な召喚状の送達を受けながら欠席しているという事情もあるので、判旨の結論を是認するのにやぶさかではないが、法律上通知を要しないとまでいうのは、刑訴二七三条三項の解釈として許される限度を超えているのではあるまいか。【172】は、その理由を述べているが、あらためて召喚ないし通知を受けたからといつて「多クノ便益ヲ受クル」ものでもなく、「勤怠其ノ地ヲ換ユル」わけでもないと思われる。なお、次回期日の指定・告知は、これに先立つ公判期日において行なわれるとは限らず、「追て指定する」と言い渡して開廷することもあるが、このばあいにあらためて通知を必要とするのは当然で、判例もこれを認めている（前出【156】は、このような事案である）。

(2)　弁護人選任書提出の際に被告人を召喚ずみの期日　被告人を公判期日に召喚する手続をしたのちに選任された弁護人に対しては、その期日のために召喚する必要はないというのが、大審院の一貫した判例であつた。

【174】「裁判所ニ於テ既ニ公判期日ヲ定メ、被告人ニ召喚手続ヲ為シタル後、始メテ弁護届ノ提出セラレタル場合ニハ、其ノ弁護人ハ、弁護届提出当時ノ訴訟進行程度ニ於テ訴訟関係人トナリタルニ過ギザルヲ以テ、之ニ対シテハ最早召喚ヲ為スノ要ナキモノトス」（大判大一三・六・七刑集三・四七〇(旧)、評釈、小野・刑訴法判例研究七〇事件）。

【174】には、一種の訴訟状態説的な思考があらわれていて興味をひく。しかし、その結論の当否は疑

問で、小野博士は「余りに形式的な物の考へ方」と評し「少くとも弁護届のあつた後尚召喚状を送達する余裕ある限りは、尚其の手続を為すのが親切であり、また実際に行はれてゐることのやうである」と説かれた(前掲評釈二三四頁)。また、団藤教授は、このばあいの訴訟の発展段階は、被告人に対する召喚ずみという角度からでなく、当該期日開廷前という角度からとらえるべきであるとし、判旨に反対された(団藤・(旧)綱要五七〇頁)。

最高裁判所には、旧法事件につき、次の【175】がある。

【175】「記録を調べて見ると、原審本件の公判期日が昭和二四年一月一八日に同年二月一日と指定された後、その前日なる一月三一日に、M弁護人の弁護届が原審に提出受理されたのである。そして同弁護人に対する召喚手続が採られた形跡もなく、……同弁護人は右公判期日に出廷していない。そこでかような場合についての判例をさかのぼると、【174】……〔が〕ある。論旨は、弁護人の召喚は被告人に対する召喚に附随してされるものではなく全然独自の立場でされるものだ、との理由で右の判例を非難するが、被告人召喚後に弁護届を出す弁護人は、それまでに経過しまた予定された訴訟の進行程度を承知の上で参加したものと見られてもやむを得ぬ次第であり、また本件のごとく予定の公判期日の前日になつて弁護届を出したような場合には、実際上これに対して召喚状を出し請書を取るというような手続をする時間のない場合があり得る。……論旨は理由がない」(最判昭二四・一一・一五刑集三・一一・一七九一、評釈、高田卓爾・刑法雑誌二巻一号、栗本・刑評一一巻七九事件)。

【175】には、二つの理由づけが含まれている。そのうち、「訴訟の進行程度を承知の上で」弁護人に選任されたのだから、という部分は【174】の踏襲に過ぎず、何ら前述の批判に答えていない。しかし、本件のばあい召喚のための「手続をする時間」がないと論じている部分は、多分に新味がある。【175】の結論を是認するためには、選任届の提出が、予定の公判期日のすぐ前の日に行なわれている点を強調すべきであろう。高田教授が、「弁護人に召喚状を出しても到底公判期日に間に合わぬことが明らかである

ような場合には、もはや召喚の手続をする要はない」と主張されたのは肯綮にあたつている（前掲評釈二三三頁）。しかし、この点は新法下の高裁判例には充分理解されていないように思われる。次の【176】を見よう。

【176】「Tに対しては、右昭和二四年五月二七日の公判期日の通知がなされた形跡のないことも所論の通りであるが、記録を調査すれば、右Tが被告人Mの……弁護人として弁護届を提出したのは昭和二四年五月二五日以後であることは、その届書の作成日により明らかであるところ、右公判期日は、既にそれより先、裁判所において決定せられ、同月一九日被告人Mに対し、その召喚状が送達せられていることが明らかで、公判期日が弁護届の提出前に既に決定し、被告人に対し召喚手続がなされた場合には、その後に弁護届を提出した弁護人は、被告人自身から、またはその他の方法で、自らその公判期日を確知すべきもので、裁判所からさらに右弁護人に対して期日の通知をなすことを要せざるものと解すべきであるから、原裁判所が右弁護人Tに対し、右期日の通知をなさなかつたことは何等違法ではない」（広島高判昭二五・七・一九特一三・一二三）。

【176】が論及しているのは、被告人召喚と弁護人選任の先後関係についてだけであつて、期日通知の時間的可能性は、直接には全然問題とされていない。これが【175】の意義を正しくとらえたものといえるかは疑問である。もつとも【176】の事案では、選任届の提出が公判期日にごく近い時期になされていることは判文からうかがえるが、次の【177】になると、【175】ないし【176】との事実関係上の差異を無視できないであろう。

【177】「被告人が弁護人Cと連署した弁護届を二六・一一・二九原審に提出したこと……は所論のとおりである。しかしながら、……裁判所において公判期日を定め被告人に対して召喚手続をした後に始めて選任の書面を差し出した弁護人に対しては、特に右期日を通知することを要しないから……C弁護人に右一二・六の公判期日の通知がなされなかつたことを以て同弁護人の弁護権を不法に制限したものということはできない」（東京高判昭二七・一〇・一〇特三七・三七）。

(3)　判決言渡期日　判決言渡のためだけに開かれる公判期日については、弁護人を召喚しなくても違法でないとするのが、大審院の一貫した判例であつた（なお、判決言渡期日には必要的弁護の規定の適用が排除されることにつき、前出一〇一頁参照）。【178】は、その理由を次のように述べている。

【178】「本来、被告人ガ弁護人ヲ用キルハ其ノ弁論ノ為ニスルモノニシテ、公判ノ審理ニ於テ克ク攻撃防禦ノ方法ヲ講ジ、被告人ノ利益ヲ保護スルニ外ナラザレバ、弁護人ノ弁論ヲ要セザル判決言渡ノ為ニノミ開ク公判廷ニハ、必ズシモ弁護人ノ立会ヲ要スルモノニ非ズト解スルヲ正当ト認ム」（大判大一三・九・一九刑集三・六三一(旧)）。

最高裁判所は、次の【179】で、憲法三七条三項との関連においてことを論じ、結局【178】と同旨の結論を明らかにした。

【179】「第一審裁判所が昭和二四年五月七日の公判期日（判決言渡期日）を同月一〇日に変更したこと、右公判期日の変更を弁護人に通知したことを認むべき証拠がないのでその通知がなされなかつたものと認めなければならないことは、所論のとおりである。しかし、第一審裁判所は、昭和二四年四月三〇日の公判期日において弁護人立会の下に審理を行い、弁護人は右期日において弁論をした上結審となり、前記判決言渡期日が指定されたことは、記録上明らかであるから、弁護人の弁護権は充分に行われたわけであつて、不法に制限されたものではない。従つて、弁護権行使の不法制限を前提とする憲法第三七条第三項の趣旨を没却するとの論旨は、その前提を欠くがゆえに問題となる余地がない」（最判昭二五・五・三〇刑集四・五・八八二）。

【179】は、訴訟法違反であるかどうかについては判断を避けたが、高裁判例は、【178】と同様、違法でもないとしている（東京高判昭二七・三・八、小野等・ポケット刑訴五四二頁による）。しかし、それは、必ずしも直ちに判決破棄の理由とはならないという意味において理解さるべきであつて、判決言渡期日に関しても通知をし、出頭の機会を与えるのが望ましいことはいうまでもない（最高裁は、必要的弁護事件において、かつ傍論としてではあるが、判決宣告期日も弁護人に通知すべきものと判示している。前出【115】参照）。裁判官としても、審理の結着点である判決の言渡には、弁護人に出頭してほしいのが偽らぬ気持であろう（座談会「国選弁護制度の実状」自由と正義一一巻一一号二九頁参照）。なお、判決言渡のみが予定されていた期日であつても、弁論再開の決定をしたばあいは、不出頭の弁護人にはあらためて通知すべきこと当然である。次の【180】では、原審は、在廷

弁護士を国選弁護人に選任して再開決定をし、審理を進めたが、控訴審はこれを違法として原判決を破棄した。

【180】「判決言渡の為の公判期日は、審理を終結して単に判決の言渡のみを為す期日であるから、距離や交通機関の関係で、多くの日時を費し又多額の費用を要するような場合には、弁護人が出頭しないこともあり得るのであつて、之を弁論の為の公判期日と同視することはできない。従つて一度審理を終結した事案に付弁論再開の決定を為した場合には、刑事訴訟法第二七三条第三項により改めて公判期日を弁護人に通知しなければならない。之を為さずして、弁護人が出頭しないからといつて、直ちに刑訴法第二九〇条を適用して、当該事案に通じない他の弁護人を選任して審理することは、弁護権の行使を制限することになり、新刑訴法並びに刑訴規則の認めないところと解さねばならぬ。ところで、原審第一回乃至第三回公判調書の記載によると、原裁判所は、判決言渡期日として指定告知した……第三回公判期日に於て、検察官の請求により、弁論を再開するに当り、国選弁護人として第一・二回公判期日に出頭した弁護人Mが出頭しなかつたので、偶々在廷した弁護士Hを弁護人に選任した上、弁論再開の決定を告知して、即時検察官の訴因変更の陳述に基き、事実並びに証拠の取調を為し、右弁護人Mに対し審理の為の公判期日を通知しなかつたことが明らかであるから、……刑訴法第二七三条第三項に違反し……た違法があり、……破棄を免れない」（札幌高函館支判昭二五・一二・二二特六・一六九）。

五　上訴権

弁護人の上訴権については、審級代理の原則（刑訴三二Ⅱ。なお、前出一一頁、七三頁参照）との関係上、特殊な問題を生ずる。けだし、上訴は、二つの審級のいわば境界に位する訴訟行為であるため、弁護人の上訴権の存否について疑義を生ずる余地なしとしないのである。現行法は、「原審における……弁護人は、被告人のため上訴をすることができる」（刑訴三五五。なお、同三五六参照）。として、ひとつの解決を与えている。この規定によつて、少なくとも弁護人が、上訴の申立をなしうること自体は明らかであり、その意味では、問題は「原審における弁護人」の意義にしぼられることになる。　現行法三五五条の前身をなす規定は、すでに旧刑訴二四三条に現われているが（前出一一頁参照）、当時の判例学説は、右規定の中に「原審における」という明文を欠いたにかかわらず、「原審ニ於テ其訴訟ノ弁護ヲ為シタル弁護人」に限定して上訴権を認める趣旨だと解した（富田・刑訴法要論上四四〇頁、豊島・刑訴法新論七一二頁）。「原審における」という文辞は、旧刑訴三七九条ではじめて使用されたが、これは、右のような解釈を明らかにしたにとどまり、実質的な改正ではなかつた。のみならず、学説としては、かえつて旧刑訴のもとで、いわゆる原審弁護人には、原判決の宣告後に選任された弁護人を含むという有力な見解が主張されるに至つた（小野博士、団藤教授。前出四頁以下参照）。もつとも、判例は、一貫してこの見解に反対の態度をとり、【3】以後、大判昭七・一二・一（刑集一一・七五六（旧））、大判昭一五・一一・一八（刑集一九・七五六（旧））などのように、終始、原判決後に選任された弁護人の上訴を拒否した。最高裁判所の時代になつて、判例の考え方に著しい変化が始つたことは、この書物の劈頭に述べたとおりである（前出四頁参照）。しかし、【3】を改めた【1】も、旧刑訴三七九条にいう「原審ニ於ケル……弁護人」の解釈自体には変更を加えず、むしろ、この点については従前の判例を維持すべきことを次のように説示しているのである。

【181】「旧刑訴第四六条第三七九条によれば、原審における弁護人は、被告人のため独立して上訴をなすことを得るものである。そして、その立法趣旨は、主として原審の審理に関与した弁護人は、その審理に基く判決に対し上訴すべきか否かを独立して決定するに適するものと認めたからである。それ故、原審の弁護人でない者、若しくは判決宣告後において被告人の選任した弁護人は、たとい、被告人の明示した意思に反しなくとも、独立しては、上訴を為すことを得ないものと解しなければならない」（最判昭二四・一・一二（大法廷）刑集三・一・二〇（旧）、評釈、小野慶二・刑評一一巻三事件）。

【181】と同じ趣旨は、最判昭二四・二・八（刑集三・二・六九（旧））においてもくり返された。現行刑訴についても、これらの判例は妥当すると解されよう。しかし、学説としては、反対説がますます有力であり（平野・刑訴（法律学全集）二九九頁参照）、判例とのギャップが増大している。もっとも、前述のように、上訴を許すか許さないかという実質的な点では、判例はすでに変更されたにひとしいので、ギャップはない。対立の重点は、むしろ、各審級における訴訟係属という現象の理論的把握の問題に移っているとみるべきであろう。

以上に論じたとおり、原審弁護人の上訴権をめぐる争いは、判例が、上訴の許容範囲の拡大という方向に動いて、一応の解決が得られたわけである。ところが、判例は、昭和二九年に至り、同じ方向にさらに一歩を進め、新たな論議を招いた。問題は、上告趣意書（および控訴趣意書）提出の可否に関する。

【182】「本件において、被告人本人から上告の申立があり、また原審弁護人からも上告の申立があった。そして、被告人に通知された上告趣意書提出期間内に、被告人は上告趣意書を提出しなかったが、原審弁護人はその期間内に上告趣意書を提出した。さらに、その後本件審理中に、右原審弁護人は、当審弁護人として選任された旨の選任届が提出された。そこで、原審弁護人は、原審弁護人である資格において被告人のため上告申立をすることができる（旧刑訴三七九条、本件は旧法事件である）。元来上告の申立は、原判決に対する不服の理由があるが故になされるのであり、不服の理由のない上告の申立は本質上許さるべきものではないのである。従って、上告の理由は上告の申立と同時に主張されることが本来の姿である。しかし、上告の申立は簡単にできるが、上告趣意書の整理完成には相当の日時を要するを通常とするから、訴訟法は上告申立の期間と上告趣意書提出の期間を別々に定め、後者に余裕を与えているに過ぎない。それ故に、上告の申立があっても、上告趣意書提出期間内にその提出がない場合においては、不服理由の主張のない不服申立、すなわち不適法な上告申立として棄

却されるわけである。これを以てみても、上告の申立と上告の理由とは、本質的には一体不可分の関係があると言うべきである。されば、上告の申立をすることを認められている原審弁護人は、そのなした上告申立につきその理由を提出することをも認められていると解するのが、事理に適するものと言わなければならぬ。実質的にいっても、原審弁護人は、事案の内容をよく知っているのが普通であるから、被告人のために上告の申立を許している以上、上告理由の提出をも許すことが、被告人の人権を保護するに妥当するであろう。それ故、上告申立をした原審弁護人が右申立と同時に提出した上告趣意書又は上告趣意書提出期間内に提出した上告趣意書は、拒否さるべきものではなく、審理の対象とすべきものであると解するを相当とする」（最判昭二九・七・七（大法廷）刑集八・七・一〇五二、評釈、平場・法学論叢六〇巻六号、松尾・警察研究三一巻六号）。

【182】は、いわゆる弁護屈の追完の問題としてすでに掲げた【80】と同一事件である。そこで指摘したように、従来の確立された判例に異を樹てる注目すべき大法廷判決であったが、そのことは、ここで論ずる上告趣意書提出権の問題についてもあてはまる。原審における弁護人は、自ら上告の申立をしたばあいであっても、その資格において上告趣意書を提出することはできない、とするのが、次の【183】および大決昭二一・六・二二（刑集二五・二一（旧））（【78】と同一事件）で示された大審院の一貫した判例であり、最高裁判所も、【184】（【79】と同一事件）および最決昭二三・七・六（刑集二・八・七九一（旧））においては、これに従ったのである。

【183】「原審弁護人ノ上告権ハ、上告申立ヲ為スノ権利ノミニ止マリ、上告趣意書ヲ提出スルノ権利ヲ包含スルモノニ非ズ。故ニ、上告審ニ於ケル弁護人トシテ選任セラレタルニ非ザレバ、上告申立ヲ為シタル原審弁護人ト雖モ、上告趣意書ヲ提出スルコトヲ得ザルモノトス。従ツテ、本件原審弁護人ノ提出シタル上告趣意書ハ、不適法ノモノタルヲ免レズ」（大決昭六・四・二三刑集一〇・一六六（旧））。

【184】「刑事訴訟法第三七九条が原審における弁護人に上告申立の権限を認めたのは、被告人の利益を保護するために特にそれだけを許容した趣旨であって、上訴審において被告人のために弁論をしたり、上告趣意書を提出する等、上訴審における訴訟行為をする権限まで認めたものとは解することができないから、同弁護人の上告申立人の提出した上告趣意

として有効なものと取扱うこともまた許されない」（最判昭二三・六・一二刑集二・七・六六八(旧)、評釈、平野・判例研究二巻四号、小野慶二・刑評九巻一三事件）。

これらの判例は、学説によつても支持され（平野教授、小野判事の前掲評釈は、いずれも判旨賛成である）、ほとんど確定的な判例と考えられていた。【182】は、そこへ巨大な一石を投じたわけである。さすがに三裁判官の反対があつた。

〔182における沢田、霜山、藤田裁判官の補足意見〕「旧刑訴三七九条を論拠として、第二審の弁護人は、上告審での弁護人として選任されていなくとも、上告申立書を提出している場合には、上告趣意書をも提出することができ、その提出した上告趣意書は有効なものであるという説は、旧刑訴が、上告申立書の提出と上告趣意書の提出とを別個の訴訟行為となし、しかも後の行為は上告審での行為としているたてまえと、弁護人は審級毎に選任すべきものとしている旧刑訴四一条の法意とに、強いて眼をおおうものとの非難を甘受すべきであろう。要するに、第二審の弁護人であるだけで、旧刑訴三七九条によつて上告の申立をしていても、事件が上告審に移つてしまつた後に上告趣意書を提出する権限はなく、かかる弁護人の提出した上告趣意書は、無権限の者の提出した無効のものといわねばならぬ」。

少数意見による「非難」に対して、多数意見は「上告の申立と上告の理由とは……一体不可分」と説明するが、その理論的根拠は十分ではない（「一体不可分」論の難点につき、松尾・前掲評釈参照）。多数意見に批判的な見解を示した学者が多いのも、意外なことではない（平場・前掲評釈、高田・刑訴(改訂版)五三四頁、江碕「控訴審の手続」実務講座一〇巻二三七八頁、青柳「上告審の手続及び裁判」実務講座一一巻二五八三頁）。しかし、ここでは、問題の実質は、解釈理論の整合性よりも、上告趣意書を有効とみる判断の政策的当否にかかつている。みずから上告を申し立てたにせよ、上告審における選任手続を怠つた弁護人の提出した趣意書までも有効と取り扱う必要はない、と考えるもひとつの見解である。だが、上訴過多の弊害があるとすれば、それをもつとも強く感じているはずの最高裁判所が、【182】のような断案に到達したことは、それ自体、慎重な考慮の所産として尊敬してよいのではなかろうか。けだし【182】は、旧法以来の判例からの離反であるのみならず（大法廷は、明言を避けたが、判例の「変更」であることは疑いを容れない）、現行法のもとでは、控訴審でも同様な問題を生ずるから、その波及するところは決して小さくないのである。

【182】を理念的に先導したのは、おそらく【1】ないし【2】の諸判例であろう。被告人の権利の伸長のために、「弁護人の援助を受ける権利」を拡大充実させるという基本的な考慮において、これらの判例は、まつたく軌を一にする。そして、上告趣意書の提出を許す理論的根拠にも、また共通のものがある。けだし、このばあいの上告趣意書提出権は、被告人の権利の代理行使と見るほかはなく、そして、原審における弁護人であつたという事実、およびみずから上告を申し立てたという事実が、趣意書提出に関する代理権の存在を基礎づけると考えられるからである。なお、みずから控訴を申し立てた原審弁護人に対し、控訴趣意書提出最終日を通知する必要はないとした次の【185】は、一見【182】と無縁の如くであるが、【182】の先駆的判例と見るべき根拠もあるので、ここに掲げておこう。

【185】「刑訴規則二三六条一項、刑訴三七六条に所謂控訴申立人には、控訴申立をした第一審弁護人を含まないものと解するを相当とし、従つて、本件第一審弁護人Sに控訴趣意書提出最終日指定の通知をなさなかつたことは違法でない」(最決昭二七・一〇・二三刑集六・九・一一一八)。

【185】を【182】と結ぶ根拠は、青柳前最高裁調査官が、【185】を評して、「原審弁護人が……控訴趣意書の提出ができることを前提としているのではないかと思われる」と述べておられることである(青柳・刑訴法通論下巻五五七頁)。少なくとも昭和二七年当時には、最高裁判所は、上来論じてきた問題に注意を払つていたということになる。その結果が昭和二九年の【182】となつたとすれば、それは唐突な判例変更ではなかつたわけである。同じ年に、最高裁判所は、【182】の趣旨が、控訴審に及ぶことを明らかにした。次に、

この【186】を掲げて、上訴権の問題を終るとしよう。

【186】「職権をもつて調査するに、本件は、第一審弁護人Iが自ら控訴の申立をした事件であつて、同弁護人は、控訴趣意書差出最終日の前日……控訴趣意書と題する書面を原審に差出していることが認められる。……ところで、原判決は、右書面につき、同弁護人は原審（控訴審）において被告人から適法に選任されたものでないから、該書面は適法な控訴趣意書とは認められないとして、これに対しては判断を与えない旨特に説示し、単に原審において国選した弁護人Aの提出した控訴趣意について判断しただけで、本件控訴を棄却したものであることがわかる。しかし、I弁護人の提出した控訴趣意書と題する書面については、その後適法に撤回されたとか、または原審公判期日において、これを陳述しない旨の明確な意思表示がなされたとかいうような特段の事情は認められないから、該控訴趣意は拒否さるべきではなく、原審において審判の対象とさるべきものであつたことは、当裁判所の判例の趣旨とするところである（【182】参照）。しかも、記録に差挟まれている前記I弁護人作成名義の控訴趣意書にはA弁護人の控訴趣意書に包含されていない法令違反および量刑不当の論旨が記載されているから、原判決が……これに対して判断を与えなかつたことは、判決に影響を及ぼすべき法令の違反があるものというべく、刑訴四一一条一号によりこれを破棄するを相当とする」（最判昭二九・一二・二四刑集八・一三・二三三六、評釈、松尾・警察研究三一巻七号）。

ちなみに、【186】は、第二小法廷に属する四裁判官一致の意見であるが、この中には、【182】で少数意見を開陳された藤田裁判官も含まれている。

地方裁判所判例

高等裁判所判例

判例索引

大審院判例

控訴院判例

最高裁判所判例

著者紹介

松尾浩也（まつおこうや） 東京大学教養学部助教授

総合判例研究叢書　刑事訴訟法（11）

昭和 36 年 7 月 10 日　初版第 1 刷印刷
昭和 36 年 7 月 15 日　初版第 1 刷発行

著作者　松尾浩也

発行者　江草四郎

印刷者　小林光次

東京都千代田区神田神保町 2 ノ 17
発行所　株式会社　有斐閣
電話九段 (331) 0323・0344
振替口座東京 370 番

印刷・明石印刷株式会社　製本・稲村製本所

総合判例研究叢書 刑事訴訟法(11)
(オンデマンド版)

2013年2月15日 発行

著 者 松尾 浩也
発行者 江草 貞治
発行所 株式会社 有斐閣
〒101-0051 東京都千代田区神田神保町2-17
TEL 03(3264)1314(編集) 03(3265)6811(営業)
URL http://www.yuhikaku.co.jp/

印刷・製本 株式会社 デジタルパブリッシングサービス
URL http://www.d-pub.co.jp/

AG537

ISBN4-641-91063-4
Printed in Japan